纽伯瑞国际大奖小说集

The Voyages of Doctor Dolittle

杜立德医生航海记

[美]休·洛夫廷/著　吕 莉/译

山东科学技术出版社
·济南·

图书在版编目（CIP）数据

杜立德医生航海记 / (美) 休·洛夫廷著；吕莉译.
-- 济南：山东科学技术出版社，2018.3（2024.5 重印）
（纽伯瑞国际大奖小说集）
ISBN 978-7-5331-9182-5

Ⅰ.①杜…　Ⅱ.①休…　②吕…　Ⅲ.①长篇小说－美国－现代　Ⅳ.①I712.45

中国版本图书馆 CIP 数据核字 (2017) 第 299988 号

纽伯瑞国际大奖小说集
杜立德医生航海记
NIUBORUI GUOJI DAJIANG XIAOSHUO JI
DULIDI YISHENG HANGHAIJI

责任编辑：董小眉　潘　菲
装帧设计：艺唐广告

主管单位：山东出版传媒股份有限公司
出 版 者：山东科学技术出版社
地址：济南市市中区舜耕路 517 号
邮编：250003　电话：（0531）82098088
网址：www.lkj.com.cn
电子邮件：sdkj@sdcbcm.com
发 行 者：山东科学技术出版社
地址：济南市市中区舜耕路 517 号
邮编：250003　电话：（0531）82098067
印 刷 者：湖北鑫光印务股份有限公司
地址：湖北省云梦经济开发区三湖大道 13 号
邮编：430070　电话：（0712）4084888

规格： 16 开（155 mm × 220 mm）
印张： 10　**字数：** 200 千
版次： 2018 年 3 月第 1 版　**印次：** 2024 年 5 月第 3 次印刷
定价： 19.80 元

前　言

纽伯瑞儿童文学奖简称纽伯瑞奖，该奖项是由美国儿童图书馆服务协会（Association for Library Service to Children，ALSC）为纪念英国儿童文学作家和出版家——纽伯瑞而设立的。

纽伯瑞出生于1713年，他出版了世界上第一本儿童书——《美丽小书》，开办了世界上第一家专门的儿童图书印刷厂、世界上第一家专门的儿童书店。他出版发行的儿童文学书籍深受孩子们的喜欢，他由此开辟出了一条英美儿童文学之路，因此后世称之为“儿童文学之父”。

以纽伯瑞命名的纽伯瑞奖，1922年创办，每年评选和颁发一次，奖励前一个年度出版的优秀英语儿童文学作品，一直延续至今。纽伯瑞奖历史悠久，对美国乃至世界的儿童文学都影响深远。该奖项获奖要求之严格，获奖作品水准之高超，均是有目共睹、众所周知的。纽伯瑞奖获奖作品题材广博，不仅针对儿童的各种心理，诸如恐惧、忧愁、悲伤等做出开解，还蕴含了对全人类和大自然悲天悯人的关怀。因此历年来获得纽伯瑞奖的优秀作品，被每个美国家庭收藏，成为每个美国青少年的必读书目。

正因为纽伯瑞奖的权威性和经典性，我们特从获奖作品中选取了八本历年来畅销不衰、深受小读者们喜爱的作品，旨在帮助更多的青少年能阅读到经典的优秀儿童文学作品，从中感悟到人性的光芒和力量。

该八本经典文学作品分别是《彩虹鸽》《牧牛小马斯摩奇》《胡桃木小姐》《草原上的小木屋》《吹号手的诺言》《杜立德医生航海记》《木头娃娃历险记》和《兔子坡》。

其中，《彩虹鸽》讲述了一只脖颈处有着彩虹一样绚丽颜色的鸽子充满传奇的一生，处处流露出作者对生命和大自然的关爱；《牧牛小马斯摩奇》则讲述了一匹名叫斯摩奇的野马跌宕起伏的一生，从性格开朗到暴虐，之后变得逆来顺受，最后再次被主人的关爱激活，重新找回快乐，该书悬念迭出的故事情节定会让青少年爱不释手；《杜立德医生航海记》讲述了精通动物语言的杜立德医生传奇的航海故事，该书想象力丰富，故事情节跌宕起伏，一直备受青少年喜爱……

该八本书每一本都精彩纷呈，不再一一赘述。期待小读者们能自己拿起这套书，亲自去发现里面的丰富和传奇；也盼望着这套书能成为小读者们人生路上的启发者，帮助小读者们拥有向上和向善的力量！

纽伯瑞国际大奖小说集

目录

第一章

我是汤米·斯塔滨司，今年九岁半。我父亲是泥糖镇里的一个皮匠。在那个时候，泥糖镇还是个很小的镇子，有条河从镇子中心流过，河上架着一座很古老的“国王桥”，石桥一边是集市，一边是教堂、墓地。许多帆船从大海驶进这条河，停泊在石桥附近。我喜欢坐在堤岸边，看着水手们哼着歌儿把货物从船上卸下，堆到岸边。

每当那时候，我便开始幻想着自己也是他们中的一分子，是一名英勇的水手。我是多么向往能跟随这些漂洋过海的大船一起出航啊！每次看到船只掉头，慢慢滑进河水深处，穿过大片宽阔的沼泽，渐渐驶进大海，我多么希望能够随他们一起出发，走向外面的世界，到陌生的国度去看看，去碰碰我的运气。

现在，那些帆船在河的转弯处拐了过去，已经在河面上消失了。在小镇的一座屋顶上隐约还能看到露出的一点褐色船帆，它们宛如一群温和的巨人，悄然无息地在房子与房子之间穿行。每当我看到这一幕便会想着，等下次它们再回到这里，不知又会经历多少稀奇古怪的事。于是，我就坐在那里，一边幻想着那些我从未到过的远方，一边看着帆船慢慢消失。

那时候，我在泥糖镇有三位好朋友。一个叫乔，他是个采蚌人，住在桥下河边的一间小棚屋里。他有一门了不起的绝活，他用他那双世界上最灵巧的手，可以把我的玩具船修补完好，可以用破旧的伞制作出最奇妙的风筝。有时候，乔会带我去他的采蚌船上。等到退潮时，我俩一边划船一边打捞河蚌和鱼虾。在那片宽阔的沼泽地里，总有野鸭飞来飞去，还有其他不知名的鸟儿，它们就住在那片沼泽地的深草丛中。傍晚，我们返航时，已是涨潮时分，国王桥上的灯在薄暮中闪烁着，这样的景色像一场温馨的梦境。

我的另一个朋友叫马休·马格，他卖猫和狗吃的肉。他是一个有趣的人，眼睛斜视得很厉害，虽然看上去很可怕，但他是一个很和善的人。他认识泥糖镇里的每一个人，也认识这里所有的猫和狗。他每天都会一个人托着大木盘穿过大街小巷，大木盘里装着成串的肉条。他一边走一边叫着：“卖——猫——食——啦！”

我很喜欢跟着老马休到处跑，因为他懂很多关于猫和狗的事。在镇上走上一趟，总会有很多猫和狗跟着他，而他会给我介绍每只猫和狗的名称。他自己也养了两只狗。一只是惠比特犬，跑得飞快，马休总带它去参加每周六举行的赛狗会；还有一只是猎狐犬，它抓起老鼠来真叫顶呱呱。马休的工作可不止卖猫和狗吃的肉，他还不时替磨坊主和农夫们干抓老鼠的活。

我的第三位好朋友是隐士卢克。关于他的事，我等会儿再告诉你。

我没有上学，因为我老爹没那么多钱供我缴学费。而我对动物们实在是太感兴趣了，所以就把所有的精力都投入到收集鸟蛋、捉蝴蝶、捕鱼这些事上了。

那时我九岁半，像所有无忧无虑的男孩一样，我盼望着长大，盼望着有朝一日走出我老爹的房子，盼望着乘着那些勇敢无畏的船只，去大海里远航。

春天，一大早我便在镇子后面的山林里游荡。我突然看见一只鹰，它就站在一块岩石上面，爪子里抓着一只松鼠，那只松鼠在拼命挣扎着想要逃脱。我突然出现在那儿，把老鹰吓了一大跳，它一下就松开了爪子，我赶紧捡起那只被它丢下的可怜的小松鼠。小松鼠的两条腿受了很重的伤，于是我把它带回了镇上。

我先去了乔的小棚屋，想问问他有没有办法救救这只可怜的小动物。乔戴起了眼镜，仔细给它做了检查，然后摇了摇头。

“这动物的一条腿怎么断了？”他说，“另一条也伤得厉害，汤米，我能修好船，可是我没那个能耐把松鼠的断腿也修好。那是医生干的活，他们才能把动物的腿医好。我知道有一个人能够救这只动物，那个人就是约翰·杜立德。”

“约翰·杜立德是干什么的？”我问，“是兽医吗？”

“不，杜立德医生是个博物学家！”

“什么是博物学家？”

“博物学家就是懂得所有动物啊、植物啊，甚至大石头的事的人，没有他们不知道的。约翰·杜立德可真是个了不起的博物学家。你竟然不知道他，真奇怪！他懂很多东西，但是他沉默寡言，不爱说话。可他真的是世界上最伟大的博物学家。”

“那他住在哪儿？”我问。

“他住在镇子的另一边，那条钮桩路上。不过我也不知道是哪一家，你到那儿随便找个人问问，他们都会告诉你的。”

我向乔道过谢，抱起我的松鼠，往钮桩路走去。

刚走到市场边上，我就听到一个声音“卖——猫——食——啦！”那是马休！他认识镇上所有的人，应该也认识杜立德。于是，我飞快地跑到马休面前。

“马休，”我打了个招呼，“你认不认识杜立德医生？”

“我当然认得！我太知道他啦！他真是个大人物，了不起的大人物！”

“那你知道他住哪儿吗？”我问，“我想让他看看这只松鼠还有没有救，它的腿断了。”

“当然啦！”马休一副很高兴的模样，“我正要到他家那个方向去，一起走吧，我带你过去。”

于是，我们一起朝那里走去。

“啊，我认识杜立德医生都有好几年啦。”我们走出市场的时候，马休说道，“不过，我也不知道他现在在不在家。他出门有一阵子了，但也可能随时回来，我现在把你带到他房子那儿，以后你就知道该怎么去找他了。”

一路上，马休滔滔不绝地和我说起这位杜立德医生，简直都快把他自己卖猫食的事给丢到脑后了。我也听得入迷，忍不住发问：“那这一趟，杜立德医生又去了哪里呀？”

“这我可没法说，”他回答我，“他去了哪儿，何时回来，这可是谁也不知道的事。他那幢房子里，除了他以外，还住着一大群动物，他已经经历过好多次了不起的冒险了。上一次他回来，还向我说起过他在太平洋上遇到印第安部落的事。他们住在两个岛上，男人住一个岛，女人住另一个岛。丈夫和妻子每年才碰一次面，真是奇怪呀。杜立德医生真是个了不起的人，要说对动物相关知识的了解，他称第二，没人敢称第一。”

“那他怎么懂那么多关于动物的事呀？”我好奇地问。

马休一下子顿住了脚步，弯下腰把嘴巴凑近我的耳朵：“他会说它们的话。”他把嗓门压得极低，神神秘秘地对我说。

“动物们的话？”我不敢相信。

“当然，那有什么奇怪的。”马休一副理所应当的模样，“所有的动物都有自己的语言，那位医生不管是鸟类的还是兽类的语言，他都懂。不过，这件事目前就他和我两个人知道。你知道的，要是你和别人说起这样的事，别人准会说你是在开玩笑呢。哎呀，他甚至能书写它们的语言！他为家里养的动物写过书，用猴子的语言写过历史书，用金丝雀的语言写过诗歌。最近，他正忙着研究贝类的语言呢。据他说，研究这门学问可是十分艰苦的，为此，他这阵子常把脑袋伸到水里。因为时间太长，还把自己弄得重感冒了。”

“啊！杜立德医生真是个了不起的人，我已经迫不及待想见到他了！”我兴奋地尖叫起来，恨不得马上就能认识他。

“哈哈，快到了。”马休伸出手指向前方，“就是路头转弯处的那幢小房子，看见没有？很高的那个。”

我顺着马休手指的方向看过去，果然看到一幢房子，它不大，孤零零地站在那儿，四周都是空落落的。远远看上去，房子好像盖在一个大园子里。这个大园子在路的尽头，长长的石阶连通园子，园子里栽满了各种果树，长得郁郁葱葱，生机勃勃的枝条探出墙来，高高的墙把我的视线给挡得严严实实。

我们很快走到了房子跟前，马休率先爬上台阶，走到了大门口。我紧随其后，还以为他要进园子，可是大门紧锁着。这时，从房子里蹿出来一只狗，直直地跑向我们。马休一看到它，就掏出自己卖的狗食和几个纸袋，从铁栏缝中塞了进去。我在一旁惊讶地发现，这只狗接过东西后，并不像一般的狗一样，马上大吃一通，而是叼起全部的食物，飞快地返回屋里去了。等到这只狗消失在我们眼前，我们也要返身回去了。

“医生还没回来，”马休说，“他若回来，大门就不会锁上了。”

“你刚给狗的是什么东西？”我有些好奇。

“噢，那纸袋里装的是粮食，都是给他家的动物吃的。医生家里住满了动物，他不在家时，就由我给它们送吃的。我把东西交给那只狗，它再分给其他动物。”马休说，“它跟着杜立德医生好多年了，吉仆，就是那只狗，它已经很老了，医生出去时总把它留下来看家。每周一和周四，我会来到这里把食物交给它。医生不在家的时候，它绝不会放任何一个人进去，医生一回来，大门就打开了。”

杜立德医生不在家，我只好无功而返，给小松鼠做了一个窝供它休息。我尽最大的努力照顾它，希望它能熬到杜立德医生回来。我每天都要去杜立德医生家，看看大门是否还上着锁。那只叫作吉仆的狗已经跟我很熟了，看到我过来，它会时不时地摇尾巴，但丝毫没有让我走进园子的意思。

四月末的一个下午，我照常去杜立德医生家。刚拐过弯，天上就聚集了大片大片的乌云，把天空封得严严实实，一副风雨欲来的模样。我加快了脚步，一到那儿，看见大门还是锁着的，我沮丧极了。这时，吉仆跑了出来，和平时很不一样，它现在正不停地摇着尾巴，跑到大门边张望着，眼睛咕噜噜地转着。

我更加失望了，我的松鼠恐怕是活不到杜立德医生回来那天了。我转过身走下台阶，心情沉重地往家走。

回家的路上，雨忽然就落了下来，“哗”的一声，好像是有人从天上倒水。我发誓，这是我这辈子见过的最大的雨。天阴沉沉的，简直和夜里差不多。风呼呼地刮着，像是能把人吹跑一样。空中电闪雷鸣，不一会儿，街道旁的小水沟就变成了小河。我低着头，顶着大风，飞快地往家的方向跑着。

但还没跑多远，我就撞上了一个软绵绵的物体，身体一歪，一屁股跌坐在路面上。我顾不上爬起身，赶紧抬头看撞到了什么人。就在我的对面，一个男人和我一样跌坐在泥泞中，他个头不高，身材圆乎乎的，看上去很和善，戴着一顶皱巴巴的高帽子，手里提着个有些旧的黑包。

“非常抱歉，先生。”我赶紧道歉，“我光顾着跑，没注意到您过来了。”

这个小个子男人不但没有生气，反而哈哈大笑起来。“你不知道，你这一撞，倒让我想起了一件事来。”他说，“那时我还在印度，也是这样的天气，我撞到了一位印度妇人，她头顶上顶着一大罐蜂蜜。这下可好了，我满身都是蜂蜜，之后好几个礼拜都弄不干净，闹得去哪儿都有一大群蜜蜂围着我嗡嗡嗡。我说，你没摔着哪儿吧？”

“没，没事。”

“你看，这件事咱俩都要负点责任，我那会儿也是低着头赶路。哎呀，我们还是先起来吧，不能老这样坐在地上说话，虽然咱们的衣服都湿透了。你家离这儿远吗？”

“在镇子的另一边呢。”我告诉他。我俩一边说话，一边从地上爬了起来。

“我的天，那可真远呢。”他吃惊地叫起来，“干脆先到我家去躲躲雨，把衣服弄干再走吧，这样的暴风雨一般持续不了太长时间的，我家就在这附近呢。”

不等我回答，他抓起我的胳膊就向我刚刚过来的方向跑了回去。这真是个有趣的人，连我是谁都不知道就把我往他家里带。

啊！我们停住了脚步。

“到了！”小个子先生愉快地说。

我抬起头来，这儿居然是那座我来了整整一个星期的大园子！而我的新伙伴已经从衣袋里拿出了一串钥匙，噔噔噔地走到了大门前，打开锁，然后将门推开。

“天！”我简直不敢相信自己的眼睛，“您不会就是那位了不起的杜立德医生吧？！”

自打听说了杜立德医生的事迹，我脑海中就勾勒出一个英俊、高大、威武的形象，却从没想过杜立德医生会是这样一个和蔼的小个子先生。可是，如果他不是杜立德医生，怎么会有开门的钥匙呢。

这时，吉仆闻声从屋子里冲了出来，它围着那位先生又蹦又跳，亲热极了。毫无疑问，这就是杜立德医生本人了。这时，雨下得更大了，我们冒着雨快步穿过花园，来到屋门前的时候，我终于忍不住问他：“您就是杜立德医生吗？”

“是啊，我就是杜立德。”他回答道，然后一边用那串钥匙开门，一边催促我赶紧进门。

我跌跌撞撞地冲进了门，医生和吉仆紧随其后。随后“砰”的一声，大门被紧紧关上了。

由于暴风雨的缘故，外面已经一片漆黑。因此，一进了屋再关上门，那简直是伸手不见五指了。在这一片漆黑中，我听到了一阵从未有过的喧闹声，那仿佛是各种飞禽走兽同一时间都发出了叫声，叽叽呀呀，叽叽喳喳……我还听到有什么东西从楼梯上滚了下来，还有什么飞快地掠过带起的一阵风声。我听见鸭子在吵架，猫儿在呼唤，小鸟在歌唱，吉仆也在汪汪汪，不知名的动物在我脚边钻来钻去，差点把我弄倒。凭感觉也知道，现在整个大厅肯定塞满了动物，我有点害怕。

这时，我感觉到医生抓住了我的胳膊，凑近我的耳边大声说：“别怕，这些只是我养的动物。我这趟离家已经三个月了，它们都很想我。你就站在那儿别动，等我划根火柴，把灯点亮。这场暴风雨可真大啊！”

我站在一片漆黑之中，只感觉有数不清的动物围在我周围，吱吱嘎嘎，动个不停，这种感觉真是奇妙。我以前总站在大门前往里面张望，想象里面会是怎样的场景，可是我从来没想过会是这样古怪的情景。不过，从医生把他的手放在我胳膊上的那一刻开始，我就不怎么害怕了，只不过仍有些糊涂。所有的这一切都像是一个奇怪的梦境，我究竟是在做梦还是醒着？恍惚间，我听到杜立德医生开口了：“哎呀，我这些火柴全都淋湿了，擦不起火。但是，别慌，派派应该会给我们弄来光亮的。”

我们等了好一会儿，楼梯拐弯处才缓缓出现一丝光亮，所有的动物立刻安静下来。

“我还以为就你一个人住呢。”我对医生说。

“是啊，我是一个人住。”医生笑着说，“拿灯来的是派派。”

我仰起头看向楼梯，想弄清楚到底派派是谁。我的视线被楼梯平台挡住了，我只能听到这个世界上最奇怪的脚步声从上面传来。那声音听起来很像一个人正单脚跳着从楼梯上蹦下来，一级接着一级台阶。

灯光渐渐亮了起来，并把一团奇怪的影子投射到墙壁上。

“啊，终于来了。”医生愉快地说。

我终于看清楚了，那正用一条单腿从楼梯上跳下来的，居然是一只雪白雪白的母鸭！而且，它的右脚高高地举着一支明亮的蜡烛。

我终于能看清楚周围的一切了，发现原来客厅里真的全部塞满了小动物，几乎所有种类的乡间生物都集聚于此：一只鸽子、一只小白鼠、一只猫头鹰、一只獾、一只乌鸦，甚至还有一头小猪。

杜立德医生从鸭子脚上接过蜡烛，转过身打量了我一番，说：“你现在得去把湿衣服换下来，对了，你还没告诉我你的名字呢。”

“我叫汤米·斯塔滨司。”我回答道。

“那你一定是皮匠雅克布·斯塔滨司的儿子啦?”

我点点头，说：“是的。”

“你父亲的手艺棒极了，你瞧，我脚上这双特大号的鞋子就是他帮我做的。斯塔滨司，现在你得去换衣服，咱们现在就去找些干衣服，你把湿衣服换下来用火烤干。”医生找出几支蜡烛点燃。

我们上楼找到医生的干衣服，换上之后坐在壁炉边一边烤湿衣服，一边愉快地聊天。我现在是越来越喜欢这个有趣的小个子先生了，他不像别人一样总叫我“汤米”或是“小不点”，他是把我当成年人朋友一样看待，喜欢叫我“斯塔滨司”。所以，在他开口留下我和他共进晚餐时，我真是激动万分，张口就要答应，可是又担心太晚回家让我妈妈担心，只能遗憾地对医生说：“太感谢您了，我很想留下，可是我如果太晚回去，我妈妈会担心的。”

“可是，亲爱的斯塔滨司，你的衣服还没烤干，不如我们先吃饭吧，吃完饭你的衣服应该也干得差不多了——你看见我把包放哪里了吗？”

“应该还在前厅，我去看看。”

我在前门门口找到了那个包，它不大，看上去已经用了很多年了，锁扣也坏了。我把包拿给医生，有些好奇地问：“你出门这么久，就只带这一个包吗？”

“是啊，”医生把包打开，“我不喜欢带一大堆行李，那太麻烦了。而且你瞧，我带这一个包就够了。”杜立德医生在包里摸索了好一会儿，拿出一大块面包和香肠，接着又拿出了一个玻璃瓶子。他拿着玻璃瓶子凑近灯光，仔细观察了半天，才放到桌上。我看了一眼，发现里面装着奇怪的、正在里面游来游去的小生物。

“好了，现在只需要煎锅就可以吃饭了。”

杜立德医生在储藏室里找到了煎锅，把香肠煎得香喷喷的。我没有事做，就走过去看放在桌上的玻璃瓶里游来游去的小生物。

“这是什么呀？”我问医生。

“那是‘微夫瓦夫’，一种很特别的鱼。”医生转过身来，“我这一次出门可全是冲它去的，你知道的，我最近在研究贝类的语言，这可是眼下最让我着迷的语言了。”

“为什么呢？”我问。

“是这样的，有些贝类可以说是我们所能知道的世界上最古老的动物了。人们在岩石中发现了化石，其中就有贝类的壳，它们可有好几千年的历史了。所以我想，如果我能掌握贝类的语言，就可以和它们交谈，知道很久很久以前的世界是什么样的，这可真有趣。”

“难道没有其他动物可以告诉你很久很久以前的世界是什么样的吗？”

“恐怕是没有了，”医生用叉子戳了戳锅里的香肠，“以前我曾遇到过一群猴子，它们告诉了我很多事，可那是局限在近一千年左右的。我确定只有贝类可以为我讲述这个世界最古老的历史了。你知道吗，和贝类生活在同一远古时期的动物，现在基本都已经灭绝了。”

“那你会说贝类的语言了吗？”我问。

“还不会呢，我才刚刚开始学。你看，微夫瓦夫就是一种介于贝类和鱼类之间的动物，为了找到它，我可是煞费苦心。但是，现在我有点失望，你看，它的模样是不是傻里傻气的？”

“嗯，的确有点傻。”我点点头。

香肠煎好了，我们在餐桌旁坐下，共进晚餐。这里虽然有些简陋，但在我心里却胜过世界上最豪华的餐厅。在此后的岁月中，我在这里度过了无数温馨时光。

正当我们飞快地消灭着这些食物时，门忽然被打开了。鸭子派派和狗儿吉仆一起走了进来，在它们身后是一堆床单和枕头。我目瞪口呆地看着它们，医生微笑地解释道：“它们要在炉火前把我床上的被褥给烘干，派派可是一个非常能干的管家。”医生对我说完，转过身去，用某种奇怪的语言和派派与吉仆交流。看样子，它们完全明白他在说些什么。

“松鼠的话你会说吗？”我问医生。

“当然啦，那可是门相当简单的语言，要是你想学也能轻而易举地学会。不过，你问这个干什么？”

“我家有只受了伤的松鼠，我从老鹰嘴里把它救了下来。”我说，“但它两条腿都受了重伤，我想请您给它看看，要是您有时间，我明天能把它带过来吗？”

“噢，如果它腿伤严重，那最好今晚就去看看，走吧，我现在就跟你过去看看。”

雨已经停了，医生拿上他的药箱。天空撕开了黑色的帷幕，露出光亮，在夕阳的映照下，周围都笼罩着一层淡淡的光。我们打开大门，一路向我家走去。

“您家里真是太棒了，是我去过的人家中最有趣的。”我们朝镇子的方向走去，我边走边和医生交谈，“我明天可以来看您吗？”

“当然，”杜立德医生看起来很高兴的样子，“你哪天来都可以，你明天来的话，我就带你去看看我的私人动物园。”

“哇！您竟然有一个私人动物园！”我惊讶极了。

“是啊。”他说，“屋子里空间不够大，于是我专门在园子里开辟了一个地方，让那些体型大的动物有个安身之处，虽然规模不是很大，倒也别有一番趣味。”

“那简直太棒了，要是能和各种各样的动物用它们的语言交流就更好了！”

“如果你想也可以的，可以让波丽妮西娅来教你，不过你可得坚持学下去。”

“波丽妮西娅是谁?”我问。

“它是一只西非血统的鹦鹉，可惜它现在不在我身边。”医生叹了口气。

“怎么，它死了?”

“不，没有。”医生说，“我希望它还活得好好的。上次我们出门到了非洲，它一看到自己的故土就激动得热泪盈眶。那时候我已经准备回来了，实在不忍心让它再次远离故土，事实上它也说了要和我一起回来。但是，我实在不忍心，就把它留在那儿了。不过，我觉得这件事我做得很对，它是我最好的朋友，也是它给了我启发，让我学习动物语言，成了一名动物医生。我现在可真想它!”

就在这时，老狗吉仆追上了我们，它跑得飞快，一脸兴奋，好像发生了什么大好事一样。它以一种特别的方式冲着医生汪汪叫了一通，听了一会儿，医生也变得激动万分，开始用奇怪的语言和吉仆交谈起来。说了好半天，他才满脸激动地对我说：“波丽妮西娅回来了!我们已经分别了五年，可是刚刚，它回家了!老天!请等我一会儿!”

说完，医生匆匆忙忙就要赶回家去，不过一抬头就看见那只鹦鹉——波丽妮西娅，那是一只长着红褐色尾巴的灰鹦鹉，它正朝着我们飞过来。杜立德医生冲它招招手，高兴得像个孩子。

它飞了过来，直接落到医生的肩头，立即滔滔不绝地和医生说起话来。他们谈得太兴奋了，医生很快就忘掉了周围的世界，包括我的松鼠。后来，很明显是这只鸟儿问起医生关于我的事，这才拉回了他的注意力。

“噢，抱歉，斯塔滨司！我只顾上和波丽说话，把你忘了，我们快点赶路，去看看你家松鼠的情况。啊，波丽，来认识一下，这位是汤米·斯塔滨司。”

那只鹦鹉站在医生肩头，严肃地冲我点了点头。然后竟然用英语和我说：“我原来见过你，那时你还很小。”

我们朝着我家走去，波丽说起它在非洲的见闻。

“布穆博王子最近好吗？”医生问。

“哎呀，你终于问起他了，他现在就在英国，真不敢相信。”鹦鹉说，“他的父亲把他送来英国读书，好像是个叫牛津大学的地方。”

“真想不到啊，”医生自言自语，“布穆博王子居然上了牛津大学。”

“布穆博王子走的时候，他们那个‘怪人国’真是地动山摇，大家都不同意，要知道他可是怪人国第一个外出留洋的人。可是，老国王态度十分坚决，他听说这是流行风尚，所以布穆博王子必须得去。可怜的布穆博只好一把鼻涕一把泪地离开了。那场面，真是闻所未闻见所未见啊！”

“快说说，那次我们帮布穆博王子把脸染白后，他保持了多久才将颜色变回去的？”医生忽然想起这件事。

“不到三个月，”鹦鹉说，“之后他就恢复原样了，不过这也不错，不然除了一张白面孔，脖子往下全部漆黑，那穿泳衣得多难看啊。”

“还有其其，它现在怎么样了？”杜立德医生对我解释道，“其其是我养过的一只猴子，我离开非洲时也把它留下了。”

“其其呀，”波丽皱着眉头，“其其也很想回来，当时我们都回到了非洲老家，那可真是个漂亮的地方，可是才过了几个星期，我们就都觉得那里变得索然无味了。在与你经历过那么多事情后，非洲的生活显得太过平静了。我们和非洲的动物也相处得很和谐，但是它们看上去总是呆头呆脑的。我走的时候其其非常伤心，它说唯一的老朋友也要离开它了，真不公平，它没有长翅膀，只能眼巴巴看着我飞回来。可是其其不会坐以待毙，要是哪一天它出现在我们面前，我也不会吃惊，其其可是相当聪明的。”

谈话间，我们已经到了我家。我妈妈正在门口张望着。

“晚上好，斯塔滨司太太，”医生打着招呼，“是我不好，害您的儿子回来晚了，雨下得太大，我俩还撞到了一块儿，把衣服都淋湿了，所以我坚持要他把衣服烤干才回来。”

“谢谢您，先生。”我妈妈说，“请问怎么称呼您呢？”

“我是约翰·杜立德，在您丈夫的店里做过鞋子。”

“杜立德医生是来给松鼠看病的。”我说。

“真麻烦您了，这么大老远来给他养的一只小动物看病。”我妈妈感激地说，“请进来坐坐。”

我把杜立德医生带到了顶楼我的房间里，那只松鼠就卧在一个铺满稻草的纸箱子里。杜立德医生一走进房间，它就“吱吱吱”地对着医生说个不停，医生也用同样的语言和它交流。我举着一支蜡烛，给医生照亮。他给松鼠的腿小心夹上用两根火柴棒做的“夹板”。

“好了，它的腿很快就会好起来。”说着，医生合起了他的皮包。

事情都处理好之后，我们回到楼下客厅。我父母一再挽留杜立德医生，自打第一次见面后，他们就喜欢上了杜立德医生。那时我家一贫如洗，杜立德医生非但没有嫌弃，还时常来我家做客。

第二章

第二天一大早，我便迫不及待地起床了，我迫切地希望早点起来拜访杜立德医生，去参观他的私人动物园。我蹑手蹑脚地下了床，甚至忘了吃早饭，打开门一溜身就到了大街上。

到了杜立德医生家门口我才想起来，这么早，不知道医生起床了没有。我正犹豫着要不要去敲门，就听见旁边传来一个声音："早上好！"

我转过身，发现那只灰鹦鹉波丽正站在树上看着我。

"早上好！"我说，"杜立德医生还在睡觉吗？"

"他早在一个半小时前就起床了，你进去找他吧。今天天气可真糟糕，要是在非洲，现在已经阳光普照了，可是你看这里，太阳不知道跑哪儿去了，看着到处弥漫的雾，真让人心情糟糕。你别听我唠叨了，快去找他吧。”

“谢谢。”我推开前门，走了许久，最后终于在书房找到了他，那里挂满了各种有意思的稀奇古怪的东西，各种动物的画，还有各种标本。医生穿着睡衣，站在工作台前。我仔细一看，才发现他正把一只耳朵伸进水里，同时用手捂住了另一只耳朵。看到我进去，他才招呼我。

“早上好，斯塔滨司。”他说，“我一直在听微夫瓦夫说话，可它太令我失望了。”

“怎么了？”

“它的语言太低级了，就只有几个类似于‘是’，‘不是’，‘冷’和‘热’这类词语，这就是它全部的语言了。我本以为它会对我的工作有很大帮助的，唉。”医生失望地说，“真希望能找到一种动物，既会说鱼类语言又会说贝类语言，或者如果我能下到深海海底就好了，肯定会学到很多东西。”

“不是已经有类似于潜水员的人去过了吗？”我说。

“是啊，”杜立德医生说，“说起来我也穿着潜水服下去过，但是那只是到达浅层海水。我渴望的是下到海底最深处。我相信，终有一天我会达成心愿。”

我们正吃着早饭，波丽进了房间，它用鸟类语言不知对杜立德医生说了什么，医生听完立刻放下刀叉走了出去。

“真是太可恶了。”医生刚一出门，波丽就开始抱怨了，“医生一到家，附近这一带的动物都得到消息了，什么事都来找他。现在后门口就来了一只兔子，说它孩子生病了，依我看分明是乱吃了颠节草。唉，可怜的医生，总是那么好说话，可他自己哪里能休息一会儿呢。”

“为什么动物不去其他医生那里看病？”我问。

“哪有什么动物医生，那些都是兽医，他们根本听不懂动物说什么，更别提恢复健康了。”波丽叫嚷道。

“你看我可以学会动物语言吗？”我鼓起勇气问。

“这要看具体情况啦，你在学习方面足够聪明吗？”

“我没上过学，”我有些羞涩，“我家太穷了……”

“我说的不只是这方面，你会观察身边的事物吗？比如一棵树上的两只鸟，只让你仔细看一眼，第二天你能分辨出来吗？”

“我从来没试过。”

“这就是观察能力了，”波丽说，“你得仔细观察它们的一切，比如怎么走路，怎么摇头，怎么扇动翅膀，等等。你得明白，大多数动物无法用嘴巴说话，反而是用呼吸以及其他动作来表达自己。总之，你想学会动物语言的第一件事，就是在生活中做一个会仔细观察的有心人。”

“听起来挺难的。”我说。

“你得坚持下去才行。”波丽说，“你要花很长一段时间去学习，我可以带你入门，可是后面的就需要你自己学了。如果你真的学会了动物语言，那医生也会轻松许多了。当然，这些的前提是你真的对动物感兴趣。”

“当然了，我太喜欢了。”我激动极了。

“我会跟医生说的，他会同意的。现在你先学习一下医治伤病的本领吧。”

吃完早饭，杜立德医生带我去参观他的花园。在我平生所见的花园里，这是最令人流连忘返，最吸引人的一个，似乎永远也走不到尽头。每当你以为已经看到了最美的景色时，拐个弯或是登上台阶，又会看到下一个让你痴迷的景色。在这个花园里，只有你想不到的，没有你见不到的。

宽阔的青青草地，路旁放置着雕刻精致的木椅，虽然已经被岁月侵蚀，爬上了点点青苔，却依稀可见当时的精致做工。嫩绿的垂柳被风吹得飘扬起来，轻拂过我额头，带来轻微的痒。踏上青石板小径，弯弯曲曲通向极幽静的地方，两旁站立着挺拔的杉树，仿佛置身于森林，周围一片寂静，只听得见鸟儿的歌唱及风吹树叶沙沙作响。门是半圆的月洞门，上方爬满了各种奇形怪状的树枝。园子里还放置着一个鱼池，池中各色鲤鱼欢快地游来游去，睡莲静静地躺在水上，有的已经盛开得正好，有的却还是含苞待放。一道高高的砖墙隔开了菜园与花园，墙头垂下长得圆滚滚的黄桃，阳光下似乎能看清桃上细细的茸毛。

花园里处处有凉亭，供人休憩，有的是木头做的，有的是石头做的，有的里面放满了书。在园子的一角，有一块空地上甚至还搭建起了一个室外烧烤台。除此之外，还有一张特别的躺椅，躺椅的四只脚安上了轮子。我想，杜立德医生应该最喜欢躺在上面，如果是夏夜，满天星辰，夜莺也来歌唱，杜立德医生就可以跟随着它的脚步，一路聆听那美妙的歌声了。

最叫我着迷的，还是那个小小的树屋，它就搭在一棵高高的树顶端最粗壮的枝干上，一条长长的绳梯从上面垂下来。杜立德医生告诉我，他总是爬上树屋，用望远镜观察星星和月亮。

这真是一个到处都充满了惊喜的园子，你甚至可以在里面进行一场小小的冒险，发现各种各样的乐趣。像我第一次走进这里，便已为它着迷、被它征服，完全不想出去，就是在这里住一辈子也不会感到厌烦。

一进园子，我就注意到了一件事，这里到处都是大群的鸟儿，几乎每棵树上都有鸟儿安的家。当然还有其他动物，什么松鼠啦，乌龟啦，白鼬啦。它们从容平和，看到我们进来一点也不惊慌。颜色各异的蟾蜍在草地上蹦来蹦去，绿蜥蜴也在石头上晒着太阳。随后我发现园子里居然还有蛇。

一条巨大的黑蟒从我们面前的小径经过，我被吓了一大跳。医生安慰了我："不要怕它们，这些都是无毒的蛇，它们为园子里除去了很多害虫，功劳可不小。所以我常常为它们在傍晚时分吹吹笛子，它们十分爱听。”

“为什么它们会在这里安家呢？”我问，“我从来没有见过有这么多动物的花园呢。”

“大概是因为在这里它们不会被打扰，它们都认识我。我猜啊，它们想的是，万一它们生病了，有个医生在这儿会比较方便。这些鸟儿大部门来自农村，还有一些从遥远的地方飞来，正常情况下它们是不会来英国的，可它们每年都来拜访我。比如那只在草坪上盘旋的漂亮的小鸟，它是只红颈蜂鸟，来自美洲。还有每年八月份的最后一个礼拜，会有一只紫羽天堂鸟从巴西飞过来看我，不过现在它还没到呢。不说它们了，我带你去参观我的动物园。”

杜立德医生拉着我的胳膊，顺着一条狭窄的小道走了过去，转了好几道弯，最后我们站在一堵高高的围墙下，正对着一扇小门。杜立德医生推开门，我们走了进去。

我原以为动物园就是有很多动物，它们各自被锁在笼子里，可没想到看到的却是这番场景。眼前是一间间不大的石屋，每一个石屋都有一扇窗。我们一进去，许多石屋的门都打开了，动物们都从石屋里跑了出来，显然它们以为我们是来送吃的。

“这些门都没上锁吗？”我问杜立德医生。

“有锁的，不过锁是在门内，外面打不开的，动物们

也有自己的隐私。在这儿的每一只动物都是心甘情愿留下来的。”杜立德医生回答道。

“怪不得它们看起来都是那么愉快。”我说。

杜立德医生为我介绍起眼前的动物来，加拿大旱獭、俄罗斯水貂、南非羚羊……动物园里聚集了来自世界各地的动物。

还有一种世界上独一无二的双头动物——“推沃拉尼”，它是马的一种，现在就在这个动物园里担当守夜人，它的两个脑袋轮流睡觉，这个脑袋睡觉时那个脑袋醒着，这可真是太有趣了，我从来没有见过这种动物。

“这里有狮子和老虎吗?”我边走边问。

“没有，”杜立德医生说，“把它们养在这里是不可能的。如果可能，我会把全世界被关在笼子里的狮子和老虎放出来，它们不应该被关起来。被关在笼子里的狮子和老虎没有一只是开心的，它们本应该在草原上尽情奔跑，用自己的能力捕捉猎物。”杜立德医生愤愤然，“但是现在呢?它们只能待在笼子里摇尾乞怜，靠着动物园的人给它们每天定时丢下一块糟糕的臭肉活着。无数游人把它们当作宠物观赏，睁大了眼睛看着它们的威武模样，却从来不知道在非洲广阔的天地下，它们本应是最强悍的霸主。它们失去了非洲大草原上的日出日落，失去了落日时分躺在树下被微风轻拂的惬意，失去了四处觅食后在树荫下尽情享受食物的快乐。斯塔滨司，老虎和狮子是兽中之王，它们绝不应该被关在动物园！”杜立德医生的神情变得有些严肃，甚至有点悲伤。但他很快就振奋起来，重新挽起我的胳膊，“咱们还没去蝴蝶馆和水族馆呢，那可是我很喜欢的地方。”

这次，我们来到的是一块用树篱围成的林间空地，那里有几个用细金属编织成的小屋，有些像鸟笼的样子。空地上，花开得茂盛，在阳光的照耀下显得格外漂亮，许多蝴蝶便在花丛之中翩翩飞舞。

我同时注意到，在空地的边缘摆放着一排不大的箱子，上面布满小洞。杜立德医生告诉我，那是孵化箱，把毛毛虫放进去，等它们变成美丽的蝴蝶，便会从小洞中飞出来。

在杜立德医生家里的时间过得是如此快，我几乎没有一天不往他家里跑。我帮他喂他家的动物；帮他搭建动物园新的房舍；如果有生病的小动物来，我也可以帮忙照料。这段时间，无论我去哪，波丽都跟着我，试图教会我一些动物语言。一开始，我以为自己这一辈子也学不会动物语言，因为实在是太难了。后来，我渐渐地听懂了鸟儿们独特的叽叽喳喳的交谈，也开始明白狗儿们的吠叫是什么意思。每天晚上躺在床上，我就静静听老鼠们说话来进行练习。白天，我会留心屋顶上的猫，观察镇子里鸽子的一举一动。

快乐的时间总是如流水，跑得飞快。杜立德医生的花园里，鲜花渐渐枯萎，绿草渐渐衰败，黄叶被刮到空中，再缓缓飘落在地上，为地面铺上厚厚的一层被子。夏天已经过去，秋天即将到来。

一天，波丽和我坐在图书馆说着话。它给了我一本关于动物的书，是杜立德医生自己写的。

我惊叹不已："医生他有好多书啊，这本书一定非常有趣，要是我也识字就好了。"我一边看书，一边问波丽书上的字词的意思。

"波丽妮西娅，"我犹豫了一下，说，"有件非常重要的事，我想问问你的意见。"

"什么事呀，孩子？"波丽和我说话总喜欢用老者的口吻，不过我并不介意，它已经快两百岁了，而我不过十岁。

"你看，我总是往这边跑，总是在这边吃饭，我妈妈觉得不太好。所以我想问问你，既然你也觉得我能帮杜立德医生干不少活，那么我为什么不干脆搬过来和你们一起住呢？这样医生就不用请雇工了，我干活不要工钱，就换取在这儿的食宿，你觉得这样行吗？"

"哦，你是想当医生的助手，以后也当一名博物学家吗？"它想了一会儿问我。

"当然啦，我的梦想就是当博物学家！"

"那好，我们去找医生说说这件事吧。"波丽拍拍翅膀，医生就在隔壁书房工作。

一看到我们，杜立德医生就抬起了头：“请进，斯塔滨司，你有什么事吗？”

“医生，”我说，“我以后想成为一名博物学家，就像您一样。”

“哦，你真是这样想的？”他似乎有些惊讶，低声咕噜了几句，“你有没有和你父母商量过呢？”

“没有，还没呢。”我说，“我希望您能帮我去跟他们说，您去比我自己说要好。如果您愿意的话，我想给您当助手。我妈妈也说我老在您这儿吃饭不太好，所以我希望在您这儿干活，以此来换取食宿，您看可以吗？”

“可是，斯塔滨司，我亲爱的朋友。”杜立德医生大笑起来，“我这儿无论何时都欢迎你来，你帮我做了很多事，我也时常想给你点报酬，可是你说的办法到底是什么呢？”

“我希望您能和我父母谈谈，同意我住在这儿，我帮您干活，您教我读书写字。您知道，我妈妈最大的愿望就是让我识字，更何况，不会读写我也当不成博物学家。”我说出了我的主意。

“哎呀，这方面我知道的可不多。”杜立德医生说，“我承认，读书识字是件好事，但并不是只有读书识字才能当博物学家。我知道的所有博物学家中最了不起的一位，连自己的名字也不会写。”

“这个人是谁啊？”我好奇地问。

“那人很神秘，”医生对我说，“他是一个印第安人，名字叫作长健。”

“您认识他吗？”我问。

“不认识，”医生摇摇头，“我从未见过他，也没听说谁见过他。他几乎过着与世隔绝的生活，只和动物们生活在一起，游荡在一个又一个部落，像是一个游子。”

“那您怎么会知道他这么多事呢？”

“是那只天堂鸟告诉我的，它说长健是位卓越的博物学家，擅长研究植物以及相关的知识，他对鸟类还有动物同样知道得很多，对蜜蜂和甲虫也有研究。天堂鸟上次走的时候，我让它帮我捎个信给长健，现在我每天都在等它带来回信。我简直等不及了，他会怎么回复呢？这已经是八月的最后一周，但愿它在路上没出什么事。”医生望着天空，似乎正在期盼着那只紫羽天堂鸟。不过一会儿，他又回过神来问我：“你真的想当一名博物学家吗？这可不是个能挣大钱的职业。你看我吧，当了好多年博物学家，也不过才有一点收入，还是靠写书挣的钱。”

“我不在乎能挣多少钱，”我说，“我想成为一名博物学家。那么您能不能下周到我家和我父母谈谈这件事呢？另外，如果我住到您这里来，成为这个大家庭中的一员，您下次出门旅行，我就能和您一起去了对吧？”

医生笑了，说：“哈哈，我明白了，你是不是想和我一起去旅行？”

“是的，以后每一趟出远门，我都想和您一起去。有个人帮您拿东西，您也比较方便对不对？”

听我说完，杜立德医生沉默了好一阵子，他的手指头在桌上轻轻敲击着，我屏住呼吸，焦急地等待着。最终，医生耸耸肩答应了：“好吧，斯塔滨司，下周四我去你家和你父母谈谈看。代我向你父母问好，并感谢他们的盛情邀请。”

我飞奔回家，迫不及待地想告诉父母，医生答应过来吃饭了！

第二天下午，我坐在杜立德医生家花园的墙头上和鸭子派派说话。到目前为止，我已经向波丽学会了不少动物语言，基本可以毫不费劲地和大多数鸟类对话。同时我发现，派派虽不如波丽幽默风趣，却更符合一个长者的形象，它和蔼可亲，为杜立德医生管理这个家好多年了。

已是傍晚时分，派派正和我讲着杜立德医生在非洲的冒险故事，我忽然听见远远传来一阵奇怪的喧闹声。我站了起来，在高高的墙头极力张望，想弄清楚到底发生了什么事。不一会儿，就看到一大群孩子们追逐着一个浑身上下穿得破破烂烂，看起来十分奇怪的妇人朝我这边走来。

那些孩子都拍着手叫着笑着，而那个被他们追的妇人很古怪。她的两条胳膊长得出奇，双肩也塌得厉害，头上歪歪斜斜地戴着一顶极大的帽子，几乎把脸都给盖住了。她穿的裙子也极不合身，后面的裙摆长长地拖在地上，上面还留有几个脚印。那个妇人离我们越来越近，我发现她的一双手特别黑，还长着浓密的长毛，看起来简直像个女巫。

这时，我身边的派派发出一声尖叫："是其其，其其回来了！这些小孩太过分了，居然这样戏弄其其！"说着，派派就挥动翅膀飞下墙头，一边嘎嘎叫着，一边做出气势汹汹的模样，对着那些孩子一阵猛啄。那些孩子被派派追得直叫唤，没命地往镇子里逃。

那个古怪的妇人就站在那里，看着那些孩子跑远了才回头走过来，一副极其疲倦的模样。到了大门前，它并没有推门进去，而是一个跳跃，两只手攀上了大门，两只脚牢牢抓住门闩，真是灵活无比。这时我终于看见它帽子下的面貌，原来是只猴子。

显然那就是其其，它攀在墙上，立即动手把身上的衣服都剥掉，把帽子撕成了两半，把衣服揉成一团，还用脚踩了又踩，最后使劲丢进了旁边的水沟。

这时，我听见屋里传来一声尖叫，随后波丽飞了出来，后面跟着杜立德医生和老狗吉仆。他们把其其团团围在中间，又是拥抱又是大笑，问了它无数个问题，最后拥着它回了屋子。

等我到屋子里时，大家都在全神贯注地听其其讲它的冒险回家之旅，旁边还放着一碟花生和几根香蕉。从非洲到英国，其其这一路过得可真不容易。

原来，在波丽妮西娅离开后，其其便更加想念杜立德医生和这幢小房子了，它下定决心无论如何也要回来。一天，它到海边去的时候，正好看见一群人，有黑人也有白人，他们正一个个地登上一艘即将开往英国的轮船。它也试图跟上去，可很快就被人发现并赶了下来。这时，其其注意到一群黑人小女孩正在闹哄哄地上船，它忽然想到，如果自己打扮一下，没准也像个小姑娘，那就可以跟着混上船了。

于是，它跑到不远处的城镇上去，刚好看见一家人的窗户上晾着一件裙子。它就跳上了那家的窗户，拿走了那件裙子，穿上裙子后又回到了海边，混在拥挤的人流里最终成功上了船。上船以后，它一直躲在船舱，只有晚上才敢出来活动。

就这样终于到了英国，它正准备上岸时，被水手识破了。水手们对这只假扮成人的猴子很感兴趣，围在一起想抓住它，可是其其还是顺利溜走了。从海岸到泥糖镇路途遥远，一路上，它被人围攻过，有人想把它抓起来，也被小孩子追逐嬉闹过，它不得已爬上烟囱或路灯才顺利逃脱，晚上就睡在地沟或牲口棚里，饿了就找点野果吃。历经千辛万苦，跋山涉水，它终于到达了泥糖镇。其其讲完它的离奇经历，抓起香蕉一口气吃了六根，又喝了一大杯牛奶才心满意足。

“如果我有一对像波丽妮西娅那样的翅膀就好了，”其其感叹道，“那样我就可以直接飞回来了。”

“其其，你的床铺好了，还是在老地方。我们谁也没动过，就是想给你留着。”医生说。

“夜里冷的话，你就拿医生的旧夹克来盖着吧，你以前总拿它当被子的。”派派说。

“谢谢，能回到这里我真是太高兴了，这儿的一切都跟我走时一模一样。我要去洗洗睡了，一路上可累惨了。”其其说。

“它回来，我真是太高兴了！”医生看起来特别兴奋。派派和波丽也附和道：“真是太好了！”

夜已经深了，也该去睡觉了，我们轻轻走出门。

杜立德医生今天就要到我家来了，我妈妈早就问过我好多遍医生喜欢吃什么，现在家里摆满了食物，什么排骨、大虾、炸肉片，都是医生喜欢吃的。

终于，敲门声响起，我第一个冲了过去把门打开。

吃了晚饭，大家都兴高采烈的，他们一起交谈了许久，我在一旁等得焦急起来，生怕医生忘了我的事。终于，杜立德医生对我父亲提出：“您的儿子对我说，他想成为一名博物学家。”

接下来，他们进行了长时间的交谈，谈话一直持续到深夜。一开始，我父母都持反对意见，他们说我还是个孩子，这念头完全是心血来潮，指不定到时候会三天打鱼两天晒网。在把这件事情全面分析了以后，杜立德诚恳地向我父亲提出一个建议：“那么这样吧，斯塔滨司先生，能否让他先在我那里待两年，也就是到他十二岁的时候。在这两年里，他有足够的时间想清楚自己未来到底想干什么。同时，我会尽我所学教他读书、写字和算术，您看这样行吗？”

我父亲摇摇头，说：“医生，您这个建议很好，可我总想着让小汤米学门手艺养家糊口。”

这时候，我妈打断了我爸的话，她是非常希望我能读书写字的，好不容易有个这样的机会，绝不容许我放弃。但是，她又想到我这么小就要离家求学，又舍不得。

医生只得允诺，如果他们想我，我可以每天回家。

最后，我父母终于同意我住在杜立德医生家里。不过，那时候我可真算得上没心没肺，凑近杜立德医生耳边轻声说：“您可别忘了和他们说，以后出门也要带上我。”

“哦，对了，”杜立德医生说，“是这样，因为工作需要，我时不时会出门一阵子，那么要是我带上汤米，你们不会反对吧？”

一听这话，我妈妈连忙抬起头来，这突如其来的消息让她越发焦虑不安。我站在医生背后，心怦怦直跳，紧张地等着我父亲的回答。

“不反对。”过了一会儿，我父亲才慢慢地说，“既然我们已经同意他跟着你，那我想就不该再去反对其他什么，一切都由你做主。”

啊！再没有什么比这更激动人心了！那是我最欢乐的时候了！我好像一下飘到了九霄云外，仿佛在云中漫步，心情愉快得说不出话来，我欣喜若狂，忍不住在客厅中又蹦又跳。我的梦想，终于有机会实现了！波丽早和我说过，医生在家的时间从没有连续超过六个月。那意味着，我汤米·斯塔滨司，将在这两周之内，随医生一起去异国他乡，去周游世界，这简直太棒了！

第三章

在医生拜访我家的两天后，医生情绪低落地告诉我，他不得不放弃研究贝类语言了，哪怕这只是暂时的。

“我很沮丧，斯塔滨司。我试过海螺、乌蛤、扇贝甚至是文蛤和贻贝，包括我能想到的一切，我都一一试过了，然而还是毫无进展，我想我只能以后再试试看了。”

“那你下面准备干什么呢？”我问。

“我正考虑出一趟门，在家太久了，外面还有一大堆事儿等着我处理呢。”

“那我们什么时候出发呢？”我已经迫不及待了。

“我得先等紫羽来了再说，就是那只天堂鸟，我必须知道长健有没有让它带什么信给我。它本应该在十天前就到的，老天保佑别出什么事啊。”

“那我们是不是得去弄艘船啊？”我问，“那只天堂鸟肯定快到了，我们要准备出发，也有不少事儿要干。”

“的确如此。”杜立德医生赞赏地点点头，“我们得去镇上拜访一趟老朋友乔，他对船的事情可知道得不少。”

乔在明白我们的来意之后，立即就带我们看了一艘船，这是他新买的船，不过要有三个人才能开动。

那真是艘可爱又漂亮的小船，船身上刻着“可路号”三个字。乔说愿意把这艘船卖给我们，只收取一点钱。可我和医生只有两人，怎么驾驶呢？

“我会带上其其的，”医生说，“它聪明又伶俐，但不如人有力气。看来我们必须得找个人帮我们驾船了。”

“卖猫食的马休·马格，他行吗？”我努力想着可以和我们一起出行的人。

“唉，马休人不错，可是他抱怨过很多次他的风湿病，海上长途航行，他不合适。所以带谁去，我们得仔细挑选。”

“那么，隐士卢克怎么样？”我问。

“卢克！好主意！如果他能来就太好了！我们去问问他吧！”

隐士卢克是我的好朋友，他是一个非常古怪的人，独自居住在远离城镇的沼泽地上。

他在那儿搭了一间很小的窝棚，那儿人迹罕至，他和一只忠心耿耿的虎斑犬相依为命，没人知道他从哪儿来，也不知道他姓甚名谁，所以就有人称他隐士卢克了。他不愿与人交往，也很少到镇子上来。

他那只狗——鲍勃，如果有人走近他的小窝棚，它就会汪汪叫着做出一副很凶狠的模样把人吓跑。

久而久之，更少有人来这儿了。不过还是有两个人会经常来，那就是我和杜立德医生。

虎斑犬鲍勃从不对我们乱叫，因为它知道我们对卢克好，卢克也欢迎我们。

这个下午，杜立德医生和我还有吉仆，我们一行穿过沼泽去找卢克。

我们快走近小屋时，吉仆纳闷地说："真怪，鲍勃没出来迎接我们。希望它不是生病了。"说完，它"汪"地大叫了一声，看能否引起鲍勃的回应。可我们丝毫没有听见一点声响。

我们心里一阵发紧，加快了脚步。

我们走到小屋前一看，只见门敞开着，被风吹得来回摇摆，发出吱嘎吱嘎的声音，我们从外面望进去，发现里面空无一人。

“他会不会不在家？”我猜测道，“可能是出去散步了。”

“他一般不会出门的。”杜立德医生拧起了眉头陷入沉思，“即使是出去散步，他也不会把门就这样敞开着。看来是出了什么事了，吉卜你有什么发现吗？”

“没有，没什么发现。”它低着头，在地上观察着什么。

“过来，吉卜。”杜立德医生的声音听上去十分严厉，“你肯定隐瞒了什么，或知道发生什么事了，卢克他现在人在哪儿？”

“我……不知道。”吉卜吞吞吐吐地回答。

接下来无论医生再问它什么，它也不肯出声，我们只好回去。

“它肯定知道些什么。”医生小声地对我说，“出乎我意料的是它不肯告诉我，这可是从来没有发生过的事，十一年来它对我无话不说。”

我们正说着话，忽然发现吉卜不见了。

我们大声喊着它的名字“吉卜！吉卜！”可是到处也不见它的踪影。

“看来，它是先回家了。”我说。

杜立德医生不置可否，只是一直念叨着：“太奇怪了。”

我们到家的时候吉仆还没回来，直到我们吃饭时吉仆才慌里慌张地蹿进门，一进来就把门关上，说：“把门锁好，不要被人听见了。”

“好了，”医生说，“谁也听不见你说什么了，快讲吧，到底发生什么事了？”

“有关卢克的事我全知道，可是我不能和你们说。我发过誓不告诉任何人，是他的狗，鲍勃，它告诉我的。”由于跑得太快，吉仆说起话来有些上气不接下气。

“那你现在是不是准备告诉我了？”

“是的。”吉仆说，“我们得去救救卢克，刚才在沼泽那儿我闻到了鲍勃的味道，然后我离开了你们找到了它，它说现在可以向你们说卢克的秘密了。”

吉仆喘了口气，接着说：“卢克他进监狱了，泥糖镇里的监狱！”

“什么？怎么会呢！”我和医生都大吃一惊，异口同声地说道。

吉仆四处望了望，似乎在看有没有人偷听，然后压低了声音：“他杀了一个人！”

“天啊！”医生失声大叫，重重地跌坐在椅子里，他掏出手绢擦了擦额头，“他什么时候杀的人？”

“十五年前，在墨西哥的一个金矿上。”吉仆说，“从那以后他就逃到了这儿，成了一个隐士，他刮掉了胡子，藏身在无人的沼泽地里，远离人群。但是在上个礼拜，来了一群生面孔的警察，他们找到了卢克，通过他胳臂上的一颗痣认出了他，卢克就是他们追捕了十五年的凶手。”

“天哪！天哪！”医生喃喃自语，“那个隐士居然杀了人，谁能想到？太不可思议了。”

“他确实杀了人，”吉仆说，“可这不能怪他，鲍勃当时也在场，它说当时卢克身不由己，不得不这么做。”

“鲍勃现在在哪？”医生问。

“也在监狱那里，我想把它带来见你，可它不愿意离开。人家给它食物它也不吃，医生，您能不能过去看看，现在已经一点十分了，两点钟就要开庭，或许您能帮得上什么忙呢。鲍勃说，如果证明卢克有罪，就会将他处死。”

“我肯定是要去一趟的。”医生说着，站起身就往外走去。我和吉仆紧紧跟在他身后。

泥糖镇法院前已经被围得水泄不通，这还是这个小镇第一次审理杀人案件，所有的人都聚集在这里。我从未见过如此喧闹的场面，卖东西的都关门了，农夫也停下了手上的活，孩子们围在一块儿叽叽喳喳。

要不是跟着杜立德医生，我想我恐怕永远也挤不进围得密密麻麻的人群。

“我想见见卢克。”杜立德医生找到了监狱长，他们谈了几句，随后监狱长派了一个警察领我们过去。

在关押卢克的那间牢房外面，我看见了那只虎斑犬鲍勃。它见到我们，悲伤地摇了摇尾巴。带领我们的警察从口袋里掏出一大串钥匙，打开了门。

在此之前，我从未见过真正的牢房，它是如此的阴暗、狭小、潮湿。卢克坐在一张矮板床上，垂着头，呆呆地望着地面。

“是我，卢克。”杜立德医生温和地说道。

“你好啊，约翰·杜立德，是什么风把你吹来了？”

“我来看看你，本来应该早点来的，可是直到今天去了你家，我才知道了你的情况。没想到你竟然出了这么大的事，我过来看看有没有什么能帮助您的。”

“不，恐怕没有办法了。”卢克摇摇头，僵硬地站起身来，在狭小的牢房里踱起了步，“这些年我从未安心过，不敢和旁人多说一句话。现在他们抓到了我，我反倒安心了。”

杜立德医生和卢克谈了半个小时，一直在安慰他，试图使他振作。

最后，杜立德医生说他还想见见鲍勃问问情况，于是那个警察过来把我们放了出去。

“鲍勃，”医生大声喊道，“你跟我到外面来，我问你点事。”

“他怎么样了？”一出来鲍勃就迫不及待地问。

“卢克一切安好。”医生说，“现在我问你，鲍勃，你是不是亲眼看见了整件事的经过？那个人被杀时你也在现场吗？”

“是的医生，我在那儿，我告诉你……”

“好了。”医生打断它，“眼下我只需要知道这些就够了，审讯已经要开始了，待会儿你和我一起进法庭。不管我让你干什么你都要照做，不要吵闹！无论人家说了卢克什么你都不要去咬人家！你一定要保持安静，并如实回答我提出的问题，明白了吗？”

“完全明白！”鲍勃说，然后担心地问，“您觉得我家主人免罪的机会大吗？他真的是一个好人！”

“我会尽力的，鲍勃。现在得进法庭了，你一定记得保持安静，别乱咬人。不然我们被赶出去，事情就搞砸了！”

法庭上一切都是如此的威严肃穆。

法官已经正襟危坐在法官席上，他是一位德高望重的老者，戴着一顶灰色假发。在他下方，是一排黑色长桌，那是律师席。

我正观察着法庭，卢克来了，他一个人站在那儿，两个警察立在他身旁。

我听见法官拿起一个木槌，在桌子上敲了一下，法庭顿时一片肃静。接着，另一个穿黑袍的人站起来开始宣读卢克的罪行。

我正认真听着，忽然感觉有人从背后抓住我的胳膊，回头一看，是刚才离开了一小会儿的杜立德得医生和一个戴了顶白色假发的人。

“斯塔滨司，这位是波希·詹金斯先生。”医生对我说，“他是卢克的律师，他的工作就是帮卢克洗清罪名，如果有可能的话。”

詹金斯先生和我握了握手，马上转向医生继续他们的谈话，“噢！这个主意简直太棒了，那只狗一定会被允许出庭作证的，毕竟它是唯一的现场目击者。这可真是太有趣了，我从来没遇到过这样的事，一只虎斑犬出庭作证！”

他捂住嘴笑了好一会儿，又拿出一个笔记本说：“医生，请您再多讲讲您自己的情况，您是在杜伦大学获得的博士学位，还有您最新著作的名字是……”

在他们聊天的时候我注意到，不停有人进入证人席，而长桌那儿的律师们不停询问他们关于“29号夜里”的问题。所有的问题似乎都是为了证明卢克有多么坏，我皱起眉头，那些人真是可恶。

而可怜的卢克，他就安安静静地坐在那儿，低垂着头，仿佛对周遭的一切都漠不关心。

唯一令他震惊的是，一个小个子男人出现在证人席上，那人皮肤黝黑，一双小眼睛看起来就很邪恶。他一走进法庭，趴在我椅子下面的鲍勃就发出了低低的怒吼，而卢克的眼神里也流淌着愤怒与鄙视。

这个人叫门都撒，当年蓝胡子比尔（也就是卢克“杀”的那个人）被害后，就是他把墨西哥警察带到矿上去的。他每说一句话，我就听见鲍勃咬牙切齿地说：“他在撒谎！这个骗子！”

医生和我费了好大力气，才把鲍勃牢牢控制在座位下。

詹金斯先生不知何时出现在了律师席上，他站起来对法官说：“法官大人，请允许我传召一位新证人来为被告辩护。他叫约翰·杜立德博士，一位博物学家。请您进入证人席就座，博士。”

接下来，詹金斯先生问了杜立德医生一大堆关于他个人的问题，让他大声地一一回答，并让整个法庭的人都能清楚听见。

最后，他说："杜立德博士，您说您能听懂狗类的语言，并且能和它们交流对吗？"

医生肯定地点点头，"是的。"

"那么，我不得不问一句，"这时，法官用他那平静又威严的声音插话道，"你们说的这些，到底和蓝胡子比尔被杀害一案有什么关系？"

"法官大人，"詹金斯先生说，"在这个法庭里，有一只虎斑犬，它是当年这桩案子的唯一目击证人。法庭许可的话，我将传召那只狗出庭作证，借由约翰·杜立德博士的帮助，当众予以询问！"

律师的话一出，立即引起一片哗然，所有人都在小声议论，真是太不可思议了！也有人觉得很愤怒，这简直是在践踏法庭的尊严。

这时，詹金斯先生站了起来，要求发言："对于我们刚刚请求的讯问方式，如果法官您有疑问，杜立德博士愿意当众展示他的能力，证明我们说话的真实性。法官大人，您不会反对吧？"

法官静静坐在那里思考了一会儿，而后眼里闪过一丝颇感兴趣的光芒。

最后他点了点头："噢，我不反对。如果杜立德博士能证明的确有能力听得懂动物的证词，那么我允许那只狗出庭作证。”

“那法官大人，您打算让哪个动物来和我交流呢?”杜立德医生问。

“你就和我那只狗谈谈吧。”法官说完，让人把他的狗牵了过来，那是一只威风凛凛的俄国猎犬，看上去雄壮又优雅。

“博士，你就问问它，昨天晚饭我都吃了什么，当时它一直和我在一起。”

于是，杜立德医生就和那只大猎犬交流起来，又是比画又是汪汪叫的。他们这样“说”了好长时间，医生仿佛都忘了这儿是法庭，和那只狗有说有笑。

我听见坐我前面的人小声地嘀咕:“这不会是骗人的吧，哪有人能和动物交谈。”

这时，杜立德医生终于和那只狗谈完了，他面带笑意，对着也有些听得不耐烦的法官说:“它说，您吃了一小块牛排、两个炒马铃薯、一个胡桃，还喝了一杯麦酒。用完晚餐后，您还去看了一场职业拳击比赛……”

“够了够了!”医生话还没说完，就被法官匆匆打断，他脸色有些苍白，“怎么可能，这简直就像魔法。”法官平复了下心情，对大家说，“我已经完全相信，杜立德博士确实能和动物交流。本庭宣布，犯人的狗可以出庭作证!”

公诉人还在高喊着："我抗议！"但是已经没有什么用了。我挺胸抬头地走着，带着鲍勃出庭作证。

在英国历史上，这还是第一次，庄严的法庭接受一只狗出庭作证！而那个带着它出庭的人是我，汤米·斯塔滨司，我心里有种说不出的自豪！

审讯迅速进行着，詹金斯律师要医生问鲍勃，在29日夜里，它都看见了什么。等鲍勃说完，再由医生翻译给大家听。鲍勃是这样说的："1824年11月29日，我和我的主人卢克，还有他的两个伙伴，一个叫曼纽·门都撒，一个叫蓝胡子比尔，他们都待在墨西哥的金矿上，他们一起挖金矿，已经挖出了一口很深的井。终于在29号上午挖出了大量的金子，他们都很高兴。可是忽然，门都撒找了个借口要蓝胡子比尔和他一块去走走，我早怀疑这两人不安好心，于是跟着他们。于是，我听见他们正在合谋杀死我的主人，为的就是多瓜分一点金子。"

听到这里，法官插了一句话："刚才那个证人门都撒去哪儿了？看住别让他跑了！"

可是，那个小眼睛小个子的坏家伙已经趁人不备逃走了，从此在泥糖镇这个地方再也没有见到过他。

"后来，"鲍勃接着说，"我就跑回主人身边，千方百计想让他明白他的两个伙伴要害他。但是他始终没有明白我的意思，于是我只好整日整夜寸步不离地跟着他。他们挖出的那口井非常深，如果人要下去就只能用一根长绳拴着一个大桶垂进去，一人坐在桶里，一人拉住绳子。那天晚上大概七点，我的主人就站在矿井上面，用力拉坐在桶里的蓝胡子比尔。刚拉到一半，我忽然看见门都撒从工棚里走出来，手里拿着一把枪，悄悄走近了卢克，准备给他一枪。

“我拼命地叫啊，可是我的主人只顾着拉比尔，他根本没注意到我，我知道我再不采取行动我的主人就要死了。我来不及多想，猛地冲上去在主人腿上狠狠咬了一口，卢克疼得要命，也吓了一大跳，他一个不小心松开了手里的绳子，回过头来。就在那时，比尔随着那只木桶掉进了矿井里，摔死了。”

“这时，门都撒笑眯眯地走了过来，他威胁主人说：‘你杀死了蓝胡子比尔，我得马上报警去，让他们把你抓进监狱。’我的主人很怕，于是趁着门都撒不注意，带着我偷偷逃跑了。我们来到了英国，他刮掉胡子，住在没人的地方，整整十五年，一直都是躲躲藏藏的。我发誓，我说的每一句话都是真的！”

当杜立德医生把鲍勃的这番话翻译过来，大家都激动万分，甚至有的陪审员还偷偷抹起了眼泪，想想卢克受了这么多年的冤屈，躲躲藏藏，真是令人心酸。公诉人还在那儿说着：“我抗议！我抗议！”但是没人理会他，他不得不被两个同伴架出了法庭。

接下来，法官对着陪审团讲了很长一段话，他讲完后，十二位陪审员全体起立离开了座席，到隔壁房间去了。

不一会儿，他们就出来了，医生惊讶地说：“没想到他们这么快就出来了。”

随着他们的出现，法庭里立即安静下来，十二名陪审员迈着稳重的步子回到了陪审席上。随后，他们中的一个小个子男士站了起来，转向法官，准备说话。四周一片安静，静得连一根针落在地上都听得见。

小个子的声音格外洪亮，我们听到他宣布：“法官大人，陪审团一致做出裁决——被告无罪！”

“这是什么意思？”我急忙转过头问杜立德医生。

“那就是他无罪了，太好了，卢克自由了！”医生大喊着欢呼道。

整个法庭都沸腾了，人们都手舞足蹈，到处都是欢呼声和欢笑声，所有人都在祝贺卢克重获自由！

在这一片欢呼声中，忽然传来了一声女人的尖叫，尖叫的声音太大，以至于所有人都看向她。那是个胖女士，此刻她正双目含泪看着卢克，张开双臂向他冲了过去：

“卢克，我终于找到你了！”

“那是他老婆，找了他十五年，今天终于和他见面了。”我前面的一个人说。

在这一片欢呼声中，医生悄悄拉着我的手臂，说：“斯塔滨司，我们快回去吧！”

“我们不等卢克了吗？我们还没问他要不要和我们一起去航行呢？”

“说了也没用，他现在肯定最想和他妻子团聚，他们可是分别了十五年呢！”

医生拉着我跑得飞快，一路上无数人想拦住医生问他有关和动物交流的事，医生都借口很忙跑开了，我们不敢停下脚步。

直到跑到家门口，我们才敢停下来喘口气。这时，耳边都还能听见大家祝贺卢克无罪的欢呼声。

波丽妮西娅就在门口等着我们，看起来它似乎有重要的事要对医生说。

“您可回来了！紫羽天堂鸟已经在这儿等您了！”波丽激动地说。

“终于来了！”医生兴奋极了，“我还在担心它是不是出什么事了呢，米蓝答它怎么样，还好吧？”

“它看上去还不错，就是累极了，现在正在书房里等您呢！”

医生兴冲冲地往书房走去。

天已经快黑了，书房里点起了蜡烛，我在烛光中看到了我这辈子见过的最美丽的鸟。

它胸脯上的羽毛染上了紫罗兰色，看上去优雅极了，但它的翅膀又是鲜红的，没有一丝杂质，一根长长的金色尾羽让它更加可爱。

它的美丽让人难以想象，可是它的神态又是那样疲惫，它把脑袋藏在翅膀下面睡着了，看上去格外惹人怜爱。

杜立德医生朝停在书桌上的鸟儿走去，伸出手，轻轻在它背上抚了抚。

那只鸟儿的小脑袋立即从翅膀下面钻了出来：“医生，您回来了呀，我实在太疲倦了，所以睡着了。”

“你一路上吃了不少苦吧？”医生关切地问。

“唉，这是最糟的一趟了，天气太坏了，别提这些了，我总算到了。”

“那么，请告诉我，”医生问道，“你把我的问题带给长健时，他都说了些什么呀？”

米蓝答垂下了脑袋：“这正是最糟糕的地方了，我没法把您的口信带给长健，我找不到他，他失踪了！”

“失踪了！”医生失声叫起来，“他出什么事了？”

“我也不知道，”米蓝答回答道，“医生您是知道的，无论人在哪，想要躲开鸟儿的眼睛那可是相当困难的。以前我去找长健，只需问问猫头鹰就知道他的下落了，可是这次我问遍了所有的鸟儿，它们都不知道长健去哪儿了。就是因为这个，我才迟了两周动身。结果启程到这儿的时候，我又在从亚速尔群岛到大西洋中部的时候遇上了可怕的风暴，还好我找到了块破船板，歇了歇脚，等到风暴小了一点我才飞了回来。”

“可怜的米蓝答，你受了多大的罪啊！”医生感叹道，“那么你知道，长健失踪前，最后一次是在哪里出现的吗？”

“这个我知道，有一只年轻的信天翁告诉过我，他在植株猴岛上见过长健。”

“就是那个离巴西海岸不远的植株猴岛吗？”

“是的，就是那儿。听说他是为了去拜访当地某个古怪的印第安部落，当人们最后一次见到他时，他正准备上山去寻找一种稀有的药用植物。”

“就没有人再看到他从山里出来了吗？”

“没有，那就是他最后的全部消息了。”

“你觉得他是不是出什么事了？”医生担忧地问。

“恐怕是出事了。”米蓝答轻摇着脑袋说。

“唉。”杜立德医生重重叹了一口气，“要是不能亲眼见一次长健，将是我此生最大的遗憾。如果长健出了意外，对全人类来说也是个巨大的损失。他掌握的自然科学知识恐怕比我们所有人的加起来还要多。”

听了关于长健的消息，大家心情都十分沉重。

杜立德医生端着茶杯坐在那里出神，大家都沉默不语。

我们竭尽全力想让医生振奋一点，我以开心的口吻说起下午在法庭上医生的精彩表现，但似乎也起不了什么作用。于是，我只好提起我们出门旅行的事。

“斯塔滨司，你知道吗，现在我不知道我该去哪儿了。本来我一直打算去拜访长健的，整整一年我都在期待着这次旅行，我想他一定会对我学习贝类语言有所帮助，没准还能帮我想出个办法潜到深海看看。可现在怎么办？他不见了，他那一肚子丰富的知识也随之消失了！”说完，医生又是一副魂不守舍的样子。

“长健和我，我们是两个自然科学爱好者，尽管我们从未碰过面，但我却仿佛认识了他好多年。他没上过一天学，却一生都在以他独特的方式追寻着大自然的奥秘。那也正是我的追求。可是现在他不见了，同时知道我们两个的，却只有一只鸟！”医生喃喃自语着，他点燃了烟斗，正在大口吞吐着。

“可是，医生，”我小心翼翼地说，“即使找不到长健，您总还是会出门到哪里去走一走的吧？”

他目光灼灼地看着我，似乎看穿了我有多期待这次旅行，他忽然笑了起来：“是啊，斯塔滨司，会去的，别担心。就算长健不见了，我们也不能停止工作和学习。可是，去哪儿呢？”

我一下子高兴起来，我想去的地方实在太多了，一时半会儿还拿不定主意。我还在盘算着，就听见医生说：“我知道了，我们可以来玩个游戏，叫作‘点哪去哪’，我们找个地图册，闭着眼睛翻开它，接着闭着眼睛用铅笔在上面随便点，点到哪就去哪。无论是哪里，我们都得想尽办法去那里旅行一圈。怎么样，来玩这个游戏吗？”

“当然！来吧！玩吧！”我已经迫不及待了。我们接下来会去哪里呢，世界那么大，好想到处去看看。

我立刻爬上书柜，从最顶层拖下那本巨大的地图册，把它放在医生面前。

这本地图册上的每一页我都一清二楚，在无数个夜晚，我曾在灯下翻开这本地图册，看着上面绿色的平原、红色的高山和蓝色的海洋。

我在心中想过无数次它们的真实面目会是怎样的，抱着它我仿佛就周游了全世界。看过长河落日圆的沙漠，看过波涛汹涌的大海，看过美丽辉煌的城堡，这本地图册，是我的宝贝啊！

杜立德医生拿出铅笔，仔细把笔头削尖。我内心按捺不住激动，手几乎都是颤抖的，看着医生闭着眼睛挥动铅笔在空中绕上三圈，然后快速点了下来。

我也情不自禁地闭上了眼睛，紧张得喘不过气，那真是个激动人心的时刻，我的心怦怦直跳，想着会点到哪里，那儿又是怎样的景色。

“好了！睁开眼吧！”

我们同时睁开眼睛，着急想知道我们要去的目的地在哪儿，两个人同时往前凑，结果“砰”的一声，脑袋撞在了一起。

地图册打开的一页是“南大西洋”，而铅笔正好点在位于正中心的一个很小的岛屿上，它的名字印得太小了，以至于医生不得不拿出放大镜才能看清楚。我站在一旁，激动得浑身发抖。

“植株猴岛！”医生一字一顿地念了出来。念完之后，他深吸了一口气，“太不可思议了！我们竟然点中了人们最后一次见到长健的地方！老天！”

“那我们现在要去那儿吗？”我问杜立德医生。

“当然要去，这是游戏规定！”

“那我们是不是要走很远很远，花很长时间？这可要穿越一大片海洋呢！”

“不，不是的。”杜立德医生笑了，“不要很久，如果船好再加上顺风顺水，我们只需四个礼拜就可以到达那里了。不过你不觉得这很不可思议吗？全世界那么多地方，我们闭着眼睛就挑中了这个地方。这真像是上天安排好的。”

“咦，这地图上面所标出的这个岛的位置为什么在后面打了个问号？”我指着地图，奇怪地问。

“那就是说，这个地图上标出的这个岛的位置并不是很精确，只是大概在那一带，可能只有过往的船只见过。看来我们或许会成为第一个踏上这个岛的外国人。”

这一切简直像个梦境，几个月前我还看着那些航行的大船，幻想着去周游世界，几个月后我真的要去一个从来没有外国人去过的小岛。桌上烛光微亮，我和医生坐在那里一直说啊说，谈啊谈，一切都是那么不可思议但又实实在在地发生了。

“我相信这一定是一次了不起的旅行。”我激动极了，连说话的声音也不由自主地大了起来。

待在一旁的米蓝答被我吵醒了，它迷蒙着眼睛，问：“你们要去植株猴岛吗?”

“是的，米蓝答，你知道它的具体位置吗?”医生高兴地问。

“嗯，我知道上次我去的时候它的位置，可是我说不准它现在还在不在那儿。”米蓝答说，“植株猴岛是一个浮岛，它到处漂移，当然总是在靠近南美洲南部附近的某个地方。你要是想去那里的话，我相信我总能找到它的。”

我一听米蓝答的话，更加兴奋了。

浮岛！天啊！我第一次旅行要去的地方居然是一座浮岛！

我按捺不住自己激动的心情，手舞足蹈起来！

我飞快地跑出门，好想把这个消息告诉全世界！我，汤米·斯塔滨司，要去一座浮岛探险了！

第四章

接下来几天，我们都在为这趟出海做准备。乔已经把“可路号”驶到了码头，把它牢牢地拴在河堤上，这样方便我们搬运东西。我们把一堆一堆的行李、食品搬到了漂亮的新船上。

我猜乔一定是把我们要出门远行的事告诉了镇上的所有人，不然怎么每天都有人来码头上看我们。

这不，马休·马格也来了，他来时我正往船上扛几袋面粉，他问我：“你们这趟打算去哪儿呀？”

“我们要去植株猴岛！”我兴奋地回答。

“医生就带了你一个人吗？”

“他倒是说了还要带一个人去，可是直到现在也没找到合适的人。”

马休嘴里嘟囔了几句：“要不是我这该死的风湿，我倒也想跟着医生去，唉。”他走进了人群，声音渐渐低了下去。我转过身，接着装船。

这一上午，来访的人一个接着一个，弄得我们手忙脚乱。

这时，又来了一个来访者，这个黑人小伙子看起来很特别，他穿着时尚考究的双排扣大礼服，系着一个鲜红的领结，头戴一顶草帽，打着一把绿色阳伞，和我在马戏团见到的那些穿着羽毛戴着骨头项链的黑人很不一样。当然，如果非说有什么奇怪的地方，那就是他的大脚了，既没穿鞋，也没穿袜子。

“请问，”他彬彬有礼地鞠了个躬，“这是杜立德医生的船吗？”

“是的，”我说，“你找他有事吗？”

“正是，如果他方便的话。”他回答道，“就说是布穆博——卡布布‘怪人国’王子前来拜访。”

我立即跑下去向医生报告。

“太荣幸了！”杜立德医生高兴地叫了起来，“我的老朋友布穆博，他还在牛津大学念书呢，没想到他跑这么远来看我，真是太好了！”

他快速跑出去迎接他的老朋友。

医生一看到那个黑人小伙就立刻上去握住他的手，而他也是情不自禁地拥抱着医生。

“近日得知，”他文绉绉地说道，“您有意再度出海航行。因此我迫不及待来到这儿，希望能在您出发前见您一面。幸而赶上了，见您一面实在高兴万分。”

“你的确差点就碰不上了。”杜立德医生说，“不过我们耽误了一阵子，因为船上驾船的人手还不够。要不是如此，我们三天前就该出发了。”

“不知还差几人呢？”布穆博王子问道。

“就差一个了。”杜立德医生叹了口气，“但要找到合适的人实在太难了。”

“啊，这应该是上天注定，”布穆博王子感叹道，“那么我去如何？”

“太好了！”医生叫道，“但是如果你就这样一走了之，你的学业怎么办？”

“我会请假的，”布穆博王子说，“即便不能和您一同出行，我也打算独自旅行。常言道‘读万卷书不如行万里路’，您博学多识，和您一起航行实在是人生幸事，我求之不得啊。”

医生沉默了一会儿，最后他终于说：“布穆博，你说得也对，到广阔的世界去获取知识与在大学里接受教育同等重要。如果你确实想去，我们热烈欢迎你的加入！你是如此符合我们的要求。”

又过了两天，出发前的准备工作终于都完成了。

这一次出行，老狗吉仆强烈要求带上它，最后医生妥协了。

随行的还有波丽和其其，母鸭派派被留下来照看留在家中的动物。

到了河堤那儿一看，我父母正站在靠近跳板的地方，我妈妈在一旁抹着眼泪，爸爸拍拍我的背，祝我好运。不过，在这些送行的人里面却并没有马休·马格，我有些吃惊，我还以为他一定会来为我们送行呢。

最后，我们又拉又扯的费了好大的劲儿，终于起了铁锚，解开了缆绳。

“可路号”缓缓行进，随着潮水顺河而下。在入海之前，我们的船不时碰上一些小船，还搁浅在一片急转弯的泥潭中，我们忙了好一会儿才使船又继续航行。医生一点也没有责怪的意思，还安慰我们到了大海就会好起来。

终于，我们的小船驶过矗立在河流入海口的小灯塔，离岸边和陆地越来越远。

头顶是一片蓝天，脚下是一片大海，我们的小船在茫

K.L.H

茫大海上是沧海一粟，它越漂越远，带着我们去梦想中的远方。

我站在甲板上极目远眺，深吸一口气，海上的空气都带着一股薄薄的咸味。

医生亲自掌舵，船航行得稳稳当当，布穆博去分配晚餐，其其在船尾收拾东西，我在甲板上把东西系牢，吉仆蹲在船头仔细观察着前方的动静。我们各司其职，保证着“可路号”的平安航行。

快要吃晚饭的时候，布穆博王子从底舱钻了出来，走到正在掌舵的杜立德医生面前报告了一个情况。

“船舱发现一名偷渡者，船长！”他说话的样子完全是一派航海专业人士的样子。

“我的天！”杜立德医生呻吟了一声，“真头疼啊，斯塔滨司，你和布穆博王子一起去把那个人带上来。我现在离不开这里。”

于是，布穆博和我下到底舱，就在那面粉袋子后面找到了那个人，他站在原地，脚上沾了些面粉，竟然是马休·马格！

我们忙把他拉上舷梯，送到医生眼前。

“天啊！马休！”医生大吃一惊，“你怎么在这儿？”

“我实在受不了诱惑，医生！”马休可怜巴巴地说，

“我实在太想来了。我和您说过好多次，可您总是不答应。这次我知道您还差一个人，我就想着我先躲在船上，等出了海，你就会发现我迟早能派上用场，说不定就留下我了。我不得不躲在那些面粉袋后面，好几个小时一动不动，弄得我的风湿病又犯了，难受得要命。”

“亲爱的马休，”医生说，“不是我不让你来，海上的天气对你的风湿极不好，你完全不适合这样的生活。如果你非得待在这儿，一定会遭很多罪的。我看我们就在前面朋赞司港口停一停，就在那儿让你上岸。它就位于我们的左前方，只花不到一天的时间就能到了。马休到时候你再下船，乘火车到泥糖镇就行了！”医生严肃地说。

把马休送走后，我们继续航行在大海上。

这可是难得的好天气，米蓝答说过接下来四个礼拜都是这样的天气。

“我在犹豫，汤米，你说咱们是在博朗岬那里歇歇脚呢，还是一鼓作气开到巴西海岸呢？”杜立德医生对我说。

“那咱们趁着这个好天气一口气开到巴西海岸吧。如果我们迟迟不到，米蓝答该担心我们了。”

“说的也是，不过博朗岬是个很便利的停泊地，它就在我们经过的路上，要是我们需要补充给养，或者来次检修，停到那里会很方便的。”

“去博朗岬的话我们还要走多久？”我问。

“大概六天吧。”医生说，“这事儿我们回头再说吧，反正这两个地方都是在同一个方向上。”

我们上了甲板，在“可路号”的四周，满天都是灰白相间的海鸥，它们在黎明的晨光中飞舞，像一幅美丽的画。

正当我们欣赏着这一幅美景时，布穆博上来了。

不得不说，布穆博是个有趣的人，他说话喜欢咬文嚼字，他上过大学，年龄也比我大上许多，但却从不对我颐指气使。

他脸上永远挂着和善的笑容，让我们每个人都能感到愉快，虽然他对海上航行一窍不通，但我们都很喜欢他。

但是这次他却带来了一个坏消息：“我们船上又发现了偷渡者！”

他背后跟着两个人，你绝对猜不到是哪两个人！原来是卢克和他的妻子！他们现在低着头，一副极难为情的样子。

他们向医生解释说，自从他们回到了沼泽地上的小茅屋以后，太多的人来拜访他们（都是听说了那场著名的审讯案），弄得他们都没办法过安宁日子了。所以他们就打算偷偷从泥糖镇搬走。

但是他们又没有什么钱，只能采取这种方式，去一个新的地方，开始他们新的生活，这样就没人知道他们，也没人听说过他们过去的故事了。

可怜的卢克不停地道歉，表示不该给我们添这样一个大麻烦，还说这全是他老婆出的鬼主意。

医生没有生气，他觉得解决这件事的最好方法就是借给他们一点钱，然后让他们在博朗岬下船。在那个新的地方，卢克和他的妻子会开启一段新的生活。

医生打开钱包，拿出几个金币。

这时，一直默默看着这一切的波丽飞到我肩膀上小声嘟囔：“又来了，他把最后一分钱都掏给了别人，这是咱们这一趟旅行带的全部的钱了！现在咱们一分钱都没有了，万一路上出了什么事，那该怎么办？唉，我们还是祈祷食物能支撑到最后吧。”

这时，杜立德医生让我负责掌舵，他要去地图上计算一下，我们该走什么航向。

六天后，我们顺利到达了博朗岬。卢克和他的妻子向我们告别后，我们列了好长一串清单，准备去采购食物，但是我们已经没有钱了。

杜立德医生翻遍了他所有的行李，也没找到一个可以变卖的东西。

我们在这个小镇行走，发现这还真是有趣，它有很多条蜿蜒的小巷子，相互交错，街道很窄，一辆马车勉强能通过。

房屋面对面挨得如此之近，要是对面两家人探出头来，准可以和街对面的邻居亲热对话。医生说，这是个古老的小镇，叫作蒙特沃得。

因为没钱，我们自然住不上宾馆。我们白天在镇子上转悠，晚上又回到船上住。

第二天早晨，我们早早起了床，走在小镇上欣赏着与泥糖镇完全不同的社会风俗。

这时，一支游行队伍走了过来，走在队伍最前面的是一些身着鲜艳衣裳的男人，他们的后面跟随着一大批崇拜者。我忙问医生："这是干什么的？"

"这些人都是斗牛士，明天这里将有一场斗牛表演。"医生说到这里，语气就变得气愤了，"斗牛真是世界上最愚蠢、最残酷、最无聊的活动！"

接着，医生对我解释了斗牛是怎么一回事：先想办法把一头公牛激怒，然后把它赶进一个圆形竞技场。这时，斗牛士就身穿红色斗篷上场，他挥动斗篷，挑逗公牛，然后逃开。再把一些受伤的马赶进场子，让公牛把这些没有抵抗力的动物撞死。直到公牛累得上气不接下气，斗牛士就拿着剑上去把公牛刺死。

每个星期天，几乎在西班牙每一个大的城镇，都会有六头公牛被杀死。

正当医生和我解释斗牛时，一个人愤怒地走了过来，显然他是听见了医生说的斗牛是最残忍、最愚蠢的活动的话了。我从来没见过有人会像他那样激动，他指责医生完全不知道斗牛的高贵，而斗牛士是世界上最了不起的勇士。

“得了吧，要不是公牛已经精疲力竭了，斗牛士哪敢上去杀死它？”

这位西班牙先生被气得脸通红，却不知道怎么反驳医生。

这时，有人走上前来，悄悄告诉医生，这位唐·恩李克·卡德那司先生在当地是个大人物，整个博朗岬的所有斗牛场的牛都是由他的农场提供的，这人还嘱咐医生千万别得罪他。

医生听完丝毫没有害怕，反而双眼亮晶晶的，仿佛忽然想出了个好主意似的。随后，他走到那位怒气冲冲的西班牙先生面前。

“唐·恩李克先生，您刚才说，你们的斗牛士都是勇敢的人。那么，我有一个提议，我这辈子还从来没有斗过牛，明天就让我出场，去和你们斗牛场上最勇敢的斗牛士比试比试。如果我侥幸胜了他们，您能答应我一件小事吗？”医生礼貌地问。

“啊哈？你想和我们这里最勇敢的斗牛士——巴贝多比试。你一定是疯了，你根本不可能打败他！况且要成为一个斗牛士可要经过不少训练呢。”

“我愿意冒这个险，那么您是不是不敢接受我的挑战呢？”

“不敢？！”唐·恩李克先生大叫了一声，“先生！要是你真的打败了我们的勇士巴贝多，你的任何要求，但凡我能做到，我都可以答应你。”

“很好。”杜立德医生满意地说，“我知道您是这里的大人物。那么，如果您要求从明天开始停止这里的一切斗牛活动，您是完全可以做到的，是吗？”

“是的。”唐·恩李克先生傲慢地说。

“这就是我请求您做的事了，如果明天我胜利了，还希望您能够履行您的承诺：只要您在世一天，博朗岬将不会举办任何斗牛活动。”

“成交。”唐·恩李克说，“但我必须提醒你，你这是白白送命，既然你把斗牛说得一文不值，那么你的下场也是罪有应得。”西班牙先生转身离开了。

第二天，这是属于蒙特沃得的一个盛大的日子，街道挂满了彩旗，身着五颜六色衣服的人们疯狂涌进了斗牛场，斗牛表演就在那里举行。

杜立德医生将挑战斗牛士的消息已经在这个小镇传遍了。想想看吧，一个是手无缚鸡之力的医生，一个是最勇敢的斗牛士巴贝多，医生还不自量力地挑战斗牛士。人们可都等着看杜立德医生的笑话。

杜立德医生借了一身斗牛士的服装，这衣服穿在他身上可真是鲜艳夺目。

在从港口到斗牛场的路上，成群结队的小孩们跟在我们后面起哄，然而杜立德医生却丝毫不生气。到了斗牛场，有人把我们带过去，医生去了更衣间，而我和波丽坐在露天看台上。

那场面可真是壮观，看台上座无虚席，男女老少全部身着盛装，兴致勃勃的样子。当巴贝多进入赛场时，观众席上掌声雷动。

此时，场子另一侧的一扇大门打开了，一头公牛轰隆隆飞奔而来，等到公牛都进入赛场后，大门立刻关上了。

巴贝多顿时警觉起来，他挥动着红斗篷，引得公牛全部向他冲去，而他敏捷地往旁边一跳躲开了。观众们又是一阵欢呼。

如此重复了几番后，巴贝多被公牛追到了死角，情况非常危急，这时，一直在附近的助手挥动起另一件红斗篷，把公牛吸引了过去，巴贝多趁机脱险。

很明显，这全都是斗牛士的主意，他们并不像传说中那样勇猛。

这样子持续了十分钟左右，通往斗牛士休息室的小门打开了，杜立德医生优哉游哉地进了场。

他一进来，人们就哈哈大笑起来，一点也没把他看在眼里。

杜立德医生走到场子中间，郑重其事地向看台上的观众鞠躬致意。

这时，那头公牛从他背后猛地冲了过来。

啊！真是千钧一发，人们倒吸了好几口凉气。杜立德医生慢悠悠转过身去，对着那头牛皱了皱眉头，公牛看起来很害怕他的样子，慢慢降低了速度。最后竟转过身逃跑了，杜立德医生紧跟在它身后，追着它围着场子跑了好几圈。这可是斗牛场上从没有过的场景，人们都惊得说不出话来。

最后杜立德医生追赶上了公牛，一把抓住它的尾巴，带领着它做出各种表演动作来，什么打滚、单腿站立、跳舞之类的。我注意到巴贝多和他的助手气得说不出话来，脸色又红又青，看上去可怕极了。

最后杜立德医生对唐·恩李克先生说：“这头牛可不行啦！请牵走吧！我要换上五头牛，让它们一起上！”

医生这番话又引得观众席上爆发出一阵尖叫！

从来没有发生过这样的事！五头牛！要知道，平时斗牛士都只和一头牛战斗！

这实在是太惊险了！巴贝多叫嚣着不能这样做，然而他的声音已经被沸腾的人们给压下去了！激动人心的时刻到了！

通向牛栏的沉重大门被推开，整个赛场先是一片寂静，而后随着五头公牛的进场爆发出一阵尖叫声。

“看起来凶一些。”我听见医生用牛的语言对它们喊道，“别分散！排成一排！一起往前冲！现在对准那个穿紫色衣服的！不过别弄死他，把他赶出场外！”公牛们一字排开，低着头刨着蹄子，像一个舰队，气势汹汹地向穿紫色衣服的巴贝多冲去。

巴贝多一看这五头暴怒的公牛，差点吓得腿都软了。他吓得嘴唇发白，公牛离他还有一段距离他就撑不住飞快蹿上栏杆，飞身跃过，逃之夭夭了。观众看见这一幕，都发出“嘘”的喝倒彩声。

“很好，现在朝那个助手进攻！”医生指挥着这一群公牛，不过几秒，那位助手也逃得不见踪影了。现在场上只

剩下医生和五头怒气冲冲的公牛了，在场的人们无不为他捏了一把汗。

五头公牛约好了似的在四周乱窜，而后终于发现了医生，它们一个个把头一低，牛犄角拼命往前伸着，箭一般地就冲了过去，仿佛要把杜立德医生给顶到天上去。

这场景实在太惊心动魄！眼看着公牛即将戳到他，医生一个矫捷地闪身，公牛轰隆隆向前冲去，医生毫发无损。

五头公牛再次发起进攻，像一扇扇铁门把医生团团包围，我实在不知道医生是怎样突出重围的，他动作迅速，不过一两秒就避开了公牛的进击。场上烟尘四起，到处都是牛蹄子印和甩来甩去的牛尾巴，医生被包裹在烟尘中，只能隐约看见他的身影，是那样的飒爽英姿，令人叹服。这真是一场空前绝后的精彩表演！

终于，公牛累了，杜立德医生冲出了包围，他一个接一个抓住牛犄角，猛地一扭牛头，把它们摔倒在地。公牛都躺在地上激烈地喘着气，仿佛已经精疲力竭，不得不说，这些家伙演技真好。

杜立德医生再次向看台上的观众彬彬有礼地行了礼，优雅地躬身退下场去。

无数人为他欢呼，女士们都疯狂了，纷纷冲他献出飞吻，把自己身上的胸针、戒指、项链统统朝他扔下，表达自己的喜爱。医生只是微笑着转过身又鞠了个躬，便向外走去。

“快，我们现在把那些首饰玩意捡回来，这可以卖钱呢。”波丽兴奋地说道，“一般的斗牛士都是这样，自己走开，让助手把东西捡回来。我们捡完后就直接到对面的珠宝商店去把珠宝卖掉。这件事可别跟医生说，一个字也别提！”

因为着急着要离开这里，我们贱卖了珠宝后，便匆忙去和医生会合。

医生早已察觉到有人要闹事了，他先一个人溜回船上，这样比较不容易被人发现。医生前脚刚走，我们便匆忙赶去买船上的必需品。

事实上，医生说得一点也没错，他赢得比赛的消息像风一般吹遍了整个小镇，我们看见一大群男人愤怒地挥舞着手里的棍子。

“那些英国人去哪了？可恶！害得我们再也没有斗牛比赛了！应该把他们打一顿再扔到海里去！”

我们一见这情形，再也不敢耽搁，买完东西就去码头找医生，准备离开这个地方。

就这样，等我们安全到达码头时，医生已经派其其划着小艇在那等我们了。

我们不由得松了一口气，立即把买的东西装上小艇，我们才装到一半，暴怒的人群已经赶到了码头。

我们不得不放弃剩下的东西，赶紧跳上了小艇，发疯似的把小艇向“可路号”划去。

暴怒的人群站在岸边骂骂咧咧，还朝我们扔着石头，还好我们一个人也没被砸中。

我们划远了，直到看不见人群了才把小艇上的东西搬到可路号上，我们几个也翻身上了船，“扑通”跌坐在甲板上，长长地舒了一口气。

波丽看起来特别兴奋：“这回的历险还真不错，让我想起了年轻的时候，跟着一群走私犯出海，那可真算得上是惊心动魄！来看看我们都得到了些什么吧，面粉、牛肉、水……嘿，还真不错！”

第五章

米蓝答，也就是那只天堂鸟，它的判断完全正确，我们在大海上航行这三周以来的天气都很好。我喜欢站在甲板上看着大海在阳光下不停地变着颜色，美得像在梦中一般，我总是想起我原来的梦想，就是当一名水手，在海上生活，在大海中冒险，这样的日子让我沉迷其中。我们偶尔也会遇到别的船，它的桅杆上挂着不同的国旗，医生这时总在一旁耐心地给我解释那些旗语。在这段风平浪静的日子里，我的读写能力突飞猛进。当然，最有趣的是，我们遇到了一条奇怪的小鱼。

那一天下午，船的周围飘满了一堆堆藻类，我们不得不去清理，在清理途中发现了一条怪模怪样的、胖乎乎的小鱼。它又勾起了医生研究贝类语言的兴趣，于是医生把它放进水箱，把耳朵凑近想和它交谈。

我离开先去干其他活，不一会儿就听到医生大叫着喊我过去。

“斯塔滨司！”一见到我，医生就激动得嚷个不停，“那条匪奇特，就是那条小鱼，它是从水族馆逃出来的！天啊！我完全有可能通过它，建立起与贝类之间沟通的渠道！老天，真是天大的好运气！”

这样一来，医生又一头扎进他的老爱好——研究贝类语言中去了，并且没有什么能够打扰到他。到了夜晚，我沉沉睡去，医生还沉迷在工作中。

第二天我醒来，杜立德医生站在水箱旁，不知疲倦似的，依然笑得很开心：“斯塔滨司，我和它交流了一晚上，终于明白它说的话了，它不是贝类生物，可是懂了它的语言，就是朝那个方向迈进了一大步了。那条匪奇特已经答应我把它一生的故事讲给我听，我到时会用英语复述一遍，你再用笔记本记下来，你准备好了吗？”

医生把一只耳朵探进水里，他一开始讲，我就开始记录，我已经迫不及待想知道这条匪奇特的冒险故事了。

匪奇特出生在太平洋，它和姐姐在海底玩耍的时候被一伙鲸鱼追到了南美洲西海岸，可它运气真不好，刚摆脱了鲸鱼又遇到了角鲨，它们只好继续逃命，为了躲避追捕，它们不得不躲进了美国西部海岸的一个海港。它们刚松了一口气，准备找点吃的，不料又被罩在了一张网里，那个网十分结实，它们无法逃脱。那些渔民把它们卖到了水族馆，每天总有一大群人围观它们，说着什么“稀有动物”。

匪奇特说到这里叹了口气，“它们每天都会喂我们吃的，可是我们一点都不开心，那里就像个监狱，我的心情越来越沉重，总想找个机会逃出去。”

后来匪奇特想出了一个绝妙的好主意，它可以装死，等着那些人把它们的尸体扔回大海，这样它们就可以回家了。

就这样，第二天一早，管理员就发现了两条匪奇特直挺挺地浮在大水箱的水面上，已经死掉了。

可是那些管理员并没有马上把它们的“尸体”捞出来扔掉，因为它们是稀有动物，还得让两个白胡子老头来检查它们，确定它们是否真的抢救不回来了。匪奇特说，当时它已经快憋不住了，正打算即使暴露自己也要换一口气时，其中一个白胡子老头拿起它们的“尸体”走出了水族馆，走到了大海边，看起来还十分舍不得的样子，他慢慢走到海边，终于把它们扔进了海里。

匪奇特大出一口气，“当我们感到海水包裹着我们的那一刹那，浑身难以形容的舒服，那种感觉真的是一生只有一次！我们欢呼着，呐喊着，在海水里蹦啊跳啊，别提多高兴了。我们飞快摇着尾巴，以最快的速度奔向我们的老家。”

匪奇特的冒险之旅说完了，接下来便是杜立德医生和它之间的对话。

杜立德医生问它：“世界上是否还有比内罗海渊更深的地方？就是太平洋上关岛附近那个。”

“有啊！”匪奇特回答道，“就在亚马孙入海口那个地方，不过那个地方不大，也很难找到，我们都叫它‘大深洞’，还有南极深海那儿也有一个。”

杜立德医生又问：“你会说任何一种贝类语言吗？”

“不会。通常我们鱼类都不和贝类打交道，我们认为它们是低等动物，因为它们发出的声音只是一种低沉的、嗡嗡作响的声音，甚至有些小的贝类都不会发出声音。谁也不知道它说的是什么，我想只有贝类才能和贝类交流吧。”

“啊。”杜立德医生感叹了一声，“我一直都想下到海底深处去走走，那能研究多少东西啊！可是你知道的，我们陆上生物，是没办法在海底呼吸的，你有没有办法能帮帮我呢？”

匪奇特回答道：“这样吧，您最好设法逮住那只‘勃利大帝螺’。这样一来，无论是下到深海还是了解贝类语言都不成问题了。然而，这也是很困难的。”

杜立德医生说道：“你说的‘勃利大帝螺’是什么生物啊？”

匪奇特说道：“它是一只体型非常庞大的大海螺，属于田螺家族，它有一座房子那么大的壳。只要它一说话，就会发出十分响亮的嗡嗡声。它可以到达大海的任何角落，包括那些最深的地方。它不惧怕任何海洋生物，它外面的壳是最透明的珍珠母，里里外外你都可以看得一清二楚，它的壳结实得很。它要是钻出壳来的话，就把空壳子背到它背上。那个空壳子可大得很，大马车都可以在里面跑来跑去。有时候它出远门，就把东西存放在里头。”

杜立德医生说道：“我觉得那正是我一直在寻觅的，它可以用它的外壳带上我和我的助手，这样我们就可以安全地探索海底最深处了。你能否帮我们找到那只大帝螺呢？”

匪奇特回答道：“哎呀！那是不可能的，要是能见到我肯定很愿意帮助你们，可是至今也没多少鱼儿见过它呢。它住在那个水流湍急的大深洞里，像我们这样的鱼类，连靠近都不敢呢。”

杜立德医生叹了口气，说道：“唉，真让人失望。不知道这片海里和它一样的海螺还多不多？”

匪奇特回答道：“不多了，它就是现存的唯一的一只了。说起来它算是远古时候的祖先辈了，很多鱼说它已经七千多岁了。”

杜立德医生惊叹道：“天呐！那它能告诉我好多有趣的事，真想见见它啊！”

这时，匪奇特提出要回大海了，它能说的基本都说完了，离家太久，它已经迫不及待想早点回家了。

杜立德医生一脸遗憾的样子：“真不想让你离开，但我必须遵守诺言，在走之前你想不想吃点什么？”

匪奇特回答道：“不了，谢谢，我现在最想要回到海里。”

医生再三感谢了这条匪奇特，然后把水箱抱到了舷窗边，打开窗户，连水带鱼一起倒进了海里：“再见！”医生喃喃地说道。

我放下铅笔和笔记本，揉了揉酸疼的手，躺在长椅上长舒了一口气。而医生忙了一天一夜，刚把匪奇特放走就趴在桌子上呼呼睡了起来。

外边走道里，波丽正生气地抓着门，我走过去给它开了门。

它一进来就愤怒地咆哮："这算什么航海啊？没有一个人在掌舵，我们现在就像个空瓶子一样在海上打着转！我们已经比预定时间晚了一个星期了！你们到底怎么啦！"

它越说越生气，声音也越来越大，但也没把熟睡的医生吵醒。我把笔记本放进抽屉里，上了甲板，去负责驾驶。

我转动舵轮，让"可路号"重新回到正确的航道上，这时我注意到周围的情况有些异常：我们的船走得不如以往快了，一直推着我们前进的风也不知在何时停了。

一开始，我们并没有十分在意，可当这种情况持续了十天，风还是没有刮起来时，我们便开始慌了，连医生也坐不住了，他不停拿出航海定向仪器在那里算来算去，总是拿着地图看来看去，一天之内总要拿起望远镜看好多次，去观察我们四周是否出现了远远的海岸。

这天，医生又拿起了望远镜，眉头皱得紧紧的，还自言自语："不知道还有多久才能到，米蓝答已经等我们很久了，风快来吧。"

风来了！一阵从东北方向吹过来的微风摇晃着绳索，把"可路号"的船帆慢慢吹鼓。我们每个人脸上都露出了愉快的笑容。

可是没过一会儿，风向忽然变了，一会儿向东吹，一会儿向南吹，断断续续，一阵接一阵。我手忙脚乱地操纵着舵轮，不停把“可路号”转来转去，想让它能顺应风向。

这时波丽忽然发出尖叫：“糟糕！坏天气来了！快看东边那条黑线！那是一场暴风雨！天哪！医生，快，你来掌舵！我去叫布穆博和其其。我们现在最好把船帆都降下来，等弄清了这股风究竟有多大以后再扯上去也不晚。”

刹那间，天空阴沉了下来，远处天边的黑线变得更黑了，渐渐向我们逼近。天空发出令人恐惧的轰隆声，海水在天空的映衬下变成了深灰色，大团大团的乌云像要压在我们船上，暴风雨就要来了！

风呼呼地刮着，我们被掀倒在甲板上，船随着翻滚的海水不停摇晃，风刮在脸上生疼，我们被吹得难以呼吸，耳边的雷声轰隆隆。我甚至来不及搞清楚到底发生了什么，我只看见我们的船帆被大风拉扯、撕裂，它们忽然轻得如羽毛般被风卷进了大海，在海水中沉浮。其其差点被吹走，它尖叫着狠狠抓住桅杆，波丽扑哧着翅膀，大叫着什么，我的耳边只留下风声雷声，完全听不见它在说什么。

尽管桅杆上没有了帆，但船却顺着风跑得飞快，时不时涌起一阵巨浪，它们好像魔鬼一般怒吼着，黑色巨大的躯壳让它们看起来格外恐怖，它们嘶吼着，仿佛要把我们的船吞入口中。可怜的“可路号”几乎被折腾得快要散架，它的一半已经被淹没在海水中，它绝望地发出“咯吱咯吱”的声音，却无法逃脱巨浪的吞袭。

我像水蛭一样，双手和双腿都紧紧盘在栏杆上，以防大风把我吹进大海。随后，我慢慢向舵轮那边爬了过去，想去看看杜立德医生的情况怎么样了。就在此时，一个猛浪打了过来，我只听见“咔嚓”一声，栏杆断了，我被甩在了门框上，随后我失去了知觉。

等我再次睁开眼时，映入眼帘的是碧蓝如洗的天空和水平如镜的大海，此刻天空蓝得像一块上好的宝玉。我意识到自己正坐在船板上，上半身被绳子捆在栏杆上。昏昏沉沉的脑袋慢慢清醒过来，我们遇到了海上大风暴，大浪把我摔到了门上。那么，杜立德医生和其他人怎么样了？他们在哪里？恐惧慢慢侵袭我的心头，我四周都是一望无际的海水，举目四望，没有一个人在。

我挣扎着把手伸进口袋，摸到一把小刀，就把绑着我的绳子割断了。我的脑袋仿佛有两个小人在打架，一个说杜立德医生出事了，一个说杜立德医生安好，我被它们吵得脑袋痛。

远处一只黑色的鸟儿飞了过来，那是海燕，一看到海燕就让我想起那种可以粉碎暴风雨的坚强，它虽然只有小小的身躯，却能直面暴风雨，在风雨中生存。这让我心里有了一点力量，一只小小的动物都有这样的勇气与力量，我怎么可以被恐惧打倒？我骤然想起波丽曾说过的话——“和杜立德医生在一起你永远是安全的！他总会到达目的地，无论发生了什么事！”它那种坚定的语气让我坚信，杜立德医生一定还在某个地方等着我。

想到这里，我挺起了胸膛，把领口扣好后，在这块小小的船板上来回走动，让身体保持住热量。不知走了多久，最后我走累了，就躺下来休息，虽然还没有脱离险境，但我依然睡着了。

再次醒来是在夜里，月亮如盘，月光似水，仿佛触手可及，照在大海上泛起粼粼光芒，漫天繁星闪烁，一切都美得像在画中。大海平静得像个温柔的女人，我坐在这块小小的漂浮在海上的船板上，却无心欣赏这幅美景，饥饿和干渴时不时侵袭着我，内心积攒的勇气随着时间的推移慢慢消失。

这时，我忽然听见一个声音，宛如天籁：“你醒了吗？”

我猛然跳了起来，船板随着我的动作轻轻摇晃了一下。天哪！那是米蓝答，那只紫羽天堂鸟，它端坐在船板另一头，美丽的尾羽在月光下幽幽闪着光。

我这辈子再也没有这样高兴过！我激动地跑过去拥抱

它，差点跌倒在海水里。

“我想你一定累坏了，就没有叫醒你。”它温柔地说着，“杜立德医生就在离这儿正西方大约四十里的地方，他正在刮着胡子等你呢！你知道的，他是个注意形象的人。”

“那我们快过去找他吧！”我激动地说，“可是现在没有桨，我们怎么过去啊？”

“别着急，孩子。”米蓝答说，“有海豚帮忙呢！”

这时，我感觉到船板在缓缓向前移动，我走到船板尾部，低头一看，在月光下，我模模糊糊看见四只大海豚，它们正用鼻子推着船板前行。一边行驶着，米蓝答一边给我说起我昏过去后的事。原来，是医生把我绑在栏杆上，结果浪太大，我们被冲散了。米蓝答久久没有等到医生，又看见了暴风雨，于是暴风雨一停，它就迫不及待来找杜立德医生了。通过一大群海鸟的帮助，它终于找到了我们。

说完没多久，我就听见了布穆博的声音，他喊得十分大声：“哈罗！”渐渐地，我也看见了他们，他们身旁是“可路号”留下的一片残骸，我也大声回应他们。

终于，我们会合了！“可路号”那被劈成两半的船板终于在此刻会合！月亮升到了半空，一切都是如此的完美，“可路号”上的所有人都安然无恙。

布穆博从一个桶里舀了些淡水给我，其其和波丽在一旁不停塞给我饼干，杜立德医生朝我和蔼地笑着。顿时，我心中那些沮丧全部消失了。

我忍不住把淡定的杜立德医生和海燕做比较，他拥有渊博的知识，可以和动物交流，他可以去任何他想去的远方，从不会因为路途的艰难而害怕或者放弃。正如海燕一样，无论在大海中处于何种境地，都可以安之若素。这时我更加能体会到波丽说过的话——“和杜立德医生在一起，你永远是安全的”。就像现在，虽然他的衣服已经被海水打湿，皱巴巴地贴在他身上，但他平静的面容却格外使人安心，仿佛任何风雨都不会对他造成很大影响。

我们所有的钱已经伴随着那场暴风雨掉在了海中，但杜立德医生的笔记本却仍然被牢牢地系在他身上。医生嘱咐海豚推动着这块大船板，跟随着米蓝答一起前行。

接下来的三天里，我们一直朝着正南方向航行，尽管速度很慢，但依然稳稳地前行着。唯一的麻烦是越来越冷的天气，医生说很可能是因为那场大风暴的原因，植株猴岛已经偏离了原来的位置，向着更南也更冷的方向漂移了。

第三天的夜里，米蓝答飞了回来，告诉医生，到了明天早上我们就会看到植株猴岛，现在看不见是因为夜间起了大雾。它现在不得不马上动身飞回暖和的地方，明年八月它还是同一时间来拜访医生。

医生和它告别，最后让它别忘了如果有长健的消息，记得带个信给他。美丽的天堂鸟飞走了，我们也睡去了，盼望着明天一醒来就会看到植株猴岛。

第二天一大早，我们便醒了。当第一缕阳光穿过云层照在远方的时候，波丽大叫了起来，说它已经看到了椰子树和岛上的远山尖顶。天越来越亮，终于，植株猴岛出现在我们眼前，它的中心耸立着连绵起伏的高大山峰，层峦叠嶂，巨石嶙峋，它离我们如此的近。

海豚们使劲一推，把我们的船板推上了岸便离开了。当我们终于踏上脚下的土地，内心纷纷感慨，在经历了六个星期的海上旅程后，我们终于到达了目的地，一个多月前它不过是地图上的一个小点，这真是太令人激动了。

我们踏上岛之后发现，岸边的椰树林和地上的草皮长得不太茂盛，有的正在凋谢，有的已经枯黄。医生告诉我，这是因为岛南移的缘故，天气越来越冷，这些亚热带植物便难以生存了。

我们正准备进岛，去看看上面的情况。还没动身呢，就发现树丛后面站着许多印第安人，他们正用好奇的目光打量着我们。医生走过去想和他们交流，却怎么也不能让他们明白我们的意思，他打着手势想说明我们不是坏人，但印第安人仍表现出不欢迎我们的样子。他们背着弓和箭，手里拿着尖利的长矛，那是用锋利的石片做成的。他们也比画着手势，明显是要我们离开，不然就对我们不客气了。

最后费了很大的劲儿，杜立德医生才让对方明白我们是没有恶意的，只是来岛上随便看看，随后就离开。可是我不明白，我们怎么走呢？我们连艘船也没有。但是最后我们也没能留在岛上，那些印第安人商量之后，还是冲我们挥动着长矛让我们去别的地方。这时，忽然从他们背后跑来了一个印第安人，应该是来报信的，那群印第安人一听完就匆匆走了，也没等我们离开，似乎是发生了什么大事。

布穆博生气极了："简直是无礼极了，这样不懂礼貌的人，还真是少见！"

"嘘！他们肯定回村子里去了。"波丽说，"我打赌山那边还有一个村子。医生，要不我们先去那边看看，等他们弄清我们确实没有恶意之后，或许会对我们友善些。"

于是，当我们初来乍到，怀着极大的热情却遭遇了这般的冷遇后，有些沮丧地朝着岛屿中心的那片大山前进。

来到山脚下，映入眼帘的是连成一片的森林，森林中枝叶交错，树与树之间距离很近，几乎难以通行。在这寸步难行的森林里，多亏了波丽和其其，它们真是好向导，不仅领路还给我们找吃的。我们顺着山间小溪往山上爬，树木渐渐变得稀疏，我们爬上顶峰，俯视下面，真是一览众山小。这时，耳边忽然传来“嗡嗡”声，我们顺着声音望去，那是一只大约有 7 厘米长的甲虫。医生惊喜地说：“那是‘加布里’甲虫！世界上的稀有动物！真是太幸运了！我可不能眼睁睁地看着它消失在我眼前。”

说着，医生就蹑手蹑脚地朝着那只甲虫停靠的树枝走过去，把帽子摘下来当作捕虫网，他使劲儿往前一扑，整个人摔倒在地上，却咧着嘴直笑。他小心翼翼地把加布里装进随身带着的玻璃瓶，然后一个劲儿地欣赏着。

“这下，全世界的昆虫学家都要羡慕死我了。”医生开心地说着，忽然，他眉头轻轻皱起，眼神也有些疑惑，“这只甲虫的腿上好像有什么东西。”

医生小心翼翼地从瓶子里取出那只甲虫，捏着它的背部，这才发现原来甲虫的后腿上绑着薄薄的干树叶。医生灵活地取下，把干树叶打开。真是令人大吃一惊，一张薄薄的干树叶却能画这么多东西，我们不得不拿出放大镜才能看清楚。

“这是用血写的。”医生观察后，严肃地说，“以前人们要是没了墨之后就会这样干。可是是谁要用加布里来传信呢，要知道，这可是稀有物种。”他继续研究着那封信，嘴里还念念有词，“这是什么意思呢？几个人爬上了高山，进了山洞，山头倒下了。几个人指着他们的嘴巴，还有人躺在地上，最后一张只有一座形状奇怪的大山。”

突然，医生转过头紧紧盯着我，他的脸上出现了胜利般的笑容，“斯塔滨司！我知道了！是长健！除了他，还有谁会让一只加布里甲虫带信呢？任何一个博物学家看见加布里都会想方设法捉住它。长健不会写字，所以采取了画画的方式！他们肯定是进山洞去寻找草药，一座山头倒了下来，把他们都困在了里面，所以他只能让加布里带信给外来人，他们现在应该饿极了，并且还有人生病了。斯塔滨司，这是长健的求救信，我们得快去找他！”

“快，我们快上山，去找一个鹰头形状的山头！”医生越来越激动，他拿着手中的画，最后一张画上奇怪的山头就是鹰头形状。“长健等着我们去救他！我们必须争分夺秒！耽搁一秒钟都意味着这位有史以来最伟大的博物学家可能会死亡！”

我从来没有跑得这样快过，几乎是用尽了全身的力气，像不知疲倦的机器人一样，一个劲儿地向山峰冲去。终于跑到最高的山峰上，我累得喘不过气来，往下一看就轻而易举地发现了那个鹰头形状的山头。

尽管我们已经累得走不动了.，但医生一看到那个山头就顾不上休息，他看了看太阳确定了方向，然后一马当先，从峰顶奔驰而下，我们勉强才能跟上他。很难想象，医生胖乎乎的身体居然能爆发出那样的力量，相比于运动员也毫不逊色。

没过多久，我们到达了目的地，医生让大家分头行动寻找洞口，可是我们几乎把整个山头都翻了个遍也没有找到长健，最后一个个垂头丧气地回到了会合地点。医生看起来很是烦躁不安，甚至连波丽和吉仆都没办法找到任何关于长健的信息。我们特别失望，但没有一个人放弃寻找长健。

最后，波丽提出了个好主意：“医生，我有个好办法。你可以把那只甲虫放出来，我们跟着甲虫走。长健是被困在山洞里，他不能出去，那他很有可能就是在山洞里发现的甲虫，那儿不可能只有一只甲虫吧，肯定还有它的家人。我们把它放出来，它就会回家了。”

医生思考了一会儿，也没想出更好的主意：“好吧，波丽，你可要替我看着加布里。别让它飞走了。”

波丽骄傲地说：“我怎么可能飞不过甲虫，让它飞，哼！”

医生小心翼翼地拿出玻璃瓶，打开盖子，加布里慢悠悠地飞了出来。我们都以为加布里会直接飞回家，可是谁也没想到，它在山上绕了好久，我们也只能跟着它走，我们走得想抓狂，恨不得马上找到长健把他解救出来。最后布穆博都有些生气了："它是路痴吗？"

医生却忽然大喊了一声："快看！"我们顺着他手指的方向看去，那只加布里正加速朝着山顶飞去。

"唉！"布穆博疲惫地一屁股坐在了地上，说，"现在只能让波丽和其其跟着它了。"那只加布里直直地飞向一块峭壁，人根本爬不上去。然而它飞了不到 3 米高，我们就惊呼起来，它不见了！在众目睽睽之下，它就这样消失了，消失在了岩石表面！

"它不见了！"波丽大叫道，"那一定有个洞穴！"说着它就飞了上去，伸出爪子抓起来。"有了！洞就在这里，一片地衣后面，洞口有两个手指头那么粗！"

"明白了！"医生大声说，"这块大石板是从山顶掉下来的，它挡住了洞口，所以我们一直没找到。"说完，医生就捡起一块石头使劲朝大石板扔了过去，只听见"咚"的一声。

不过几秒，我就听见从这座山洞里传来了三声回响：咚！咚！咚！我浑身一哆嗦，惊讶地瞪大了眼睛，听见旁边传来医生的声音："他们之中有人还活着，感谢上帝！"

第六章

接下来，我们只需要把这块巨大的石板搬开，就可以把长健救出来了，可是怎么搬呢？

我们没有任何工具。波丽飞上大石板勘察地形，其其也在旁边挨着检查。吉仆在大石块脚下闻了又闻，嗅了又嗅，最后它大叫了一声：“医生，我发现了！”

它飞快地跑过来：“这块大石板落下来时，仅仅是被一层软土给挡在半空了。这层软土非常好挖，我估计石板背后的洞口一定很高，不然里面的人早就自己挖开上面的土逃出来了。现在，我们只需把石板下面的那层土弄走一些，石板也许就会往下掉，洞口就会露出来，里面的人也就可以出来了。”

医生一听，急忙跑过去检查吉仆翻过的地方。

“对呀！”他说，“要是咱们从这块石板下面把土弄走，说不定可以让它直接掉下去！这可真是个好办法，咱们快动手干吧！”

我们没有工具，只得在附近找了些棍子石片之类的东西，大家跪坐在那里，在山脚下掏掏弄弄，把土挖出来，看上去就像排成一排的六只穿山甲。

这样大约干了六个小时，尽管天气很冷，我们却一个个大汗淋漓。

医生看了看说：“大家准备随时往外跳，把路清理出来，万一石板有什么动静，咱们得快跑。不然被它压到就糟糕了。”

他话音刚落，我们就听到一阵“咯咯咯”“嚓嚓嚓”的声响。

“小心！大家散开！”医生大喊了一声。

大家赶紧四处散开。那块大岩石慢慢地滑落下来，露出隐藏的洞口，同时，我们听见洞口里传来兴奋的喊叫声。大岩石滚动的速度也变快了，轰隆隆的，最后随着惊天动地的一声巨响，巨石落在了山下。

那声响大的似乎让我们脚下这座山都随着巨石的落下产生了震动一般。

我们所有人的目光此刻全部聚集在那个黑乎乎的足有6米高的山洞口。

洞口边居中位置站着一个高大英俊的印第安人，他有2米高，肌肉发达，身上除了围着一块珠子串成的布，头发上插着一根山鹰羽毛，其他地方全是赤裸的。他用手遮住眼睛，似乎难以承受这突如其来的阳光。

“那就是他，长健！”医生在我身边喃喃地说，“我认得他，个子很高，下巴上还有一块疤。”

医生慢慢走上去，跨过大石板，伸出他的手，向长健走了过去。

这时长健也睁开了眼睛，他双眼炯炯有神，没有丝毫的攻击性，让人轻易感受到他的友好。

他伸出右臂，握住了医生的手。他们笔直地站着，仿佛一座雕像。这真是个伟大的时刻！

波丽冲我点着头，带着极其满意的神态，布穆博感动地抽着鼻子。

虽然杜立德医生试着和长健开口交流，但是他不会说印第安语，而长健也听不懂英语。于是医生开始尝试起利用各种动物语言来进行交流了。我们站在一旁，惊讶得眼珠子都快掉出来了。

医生先是用了好几种动物语言向长健问好，像什么马语、犬语、鹿语，可是长健都不为所动。最后，医生用了那种大鸟的尖叫声打招呼，长健脸上终于露出一丝心领神会的笑容，他也用鹰语回应医生，他告诉我们，他唯一会说的动物语言就是鹰语，但是已经好久没有说过了。最后，医生让布穆博拿些山果和清水过来给长健。

长健接过去后并没有马上开始吃喝，而是感激地点点头，把食物拿进了洞口。

我们跟着长健，一起走进了山洞，才发现洞穴中躺着几个瘦骨嶙峋的印第安人，他们已经很虚弱了，有的还闭上了眼睛，就像死去了一般。

于是，医生飞快地行动了起来，他到每一个人跟前去检查他们的身体状况，吩咐着其其和波丽带来更多山果和清水。

就在长健把食物分给他快要饿死的同伴时，洞口传来一阵喧哗，我们回头一看，正是我们刚上岛时那群对我们很不友好的印第安人。

长健告诉医生，洞里面的九个人是和他一起来采草药的，他们刚进洞穴，大石板就掉了下来堵住了洞口。这两个礼拜，他们就是靠吃点草药并喝着墙上滴下的水珠维持着生命。岛上的人已经放弃了寻找，以为他们的亲人已经不在人间。现在又看到他们，自然喜出望外。

长健用自己的语言告诉那群新来的印第安人，是杜立德医生找到了他们，解救了他们的亲人。

于是这些人全部围在杜立德医生身边，七嘴八舌地说着，做出捶胸顿足的样子。

长健告诉我们，那是他们在为之前在海滩上的不友好行为道歉，因为他们从没有见过从外面来的人，心里感到畏惧。尤其是看到杜立德医生在和海豚说话，他们就更加害怕了。

自那一刻起，海岛上的印第安人对我们的态度就完全改变了。他们邀请我们前往他们的村子，参加他们的聚会，庆祝亲人的团聚。

在我们下山的路上，那群印第安人给长健讲了一件事，看来是件很不幸的事，长健一听完神情就肃穆起来，他告诉我们，是部落的首领，一位八十岁的长者去世了。

“啊。”波丽在我耳边嘀咕着，“这应该就是他们忽然回去的原因了，就是在海滩上那会儿，来了个传信的人，他们就回去了，你还记得吗？”

“他的死因知道吗？”杜立德医生问。

“因为寒冷吧。”长健回答。

的确，现在太阳一下山，我们也冷得直打哆嗦。

“这个问题很严重，”医生对我说，“你看，现在这个岛还在向南漂，这儿的天气会越来越冷的。明天我们去看看情况，看能不能有什么办法帮助他们，不然这个岛迟早得漂到南极去。”

说话间，我们已经翻过一座小山头，到了部落。

这儿散布着一片茅草屋，中心竖立着色彩鲜明夺目的图腾柱。暖红的夕阳给部落蒙上一层轻纱，海水波涛荡漾，这个村子坐落于海滨之上，看上去别提多漂亮了。

“这个部落的名字叫‘波浦息拍特尔’，在印第安语中的意思是‘生活在漂移土地上的人’。”

长健继续说道：“这个岛上有两个印第安部族，这一头的是波浦息拍特尔，另一头的是拜哥家格拉斯。拜哥家格拉斯比较大，不过我更愿意生活在波浦息拍特尔。”

显然，村子里的人已经知道是我们解救了他们的亲人，当我们走近村子时，就受到了他们的热烈欢迎，他们围住杜立德医生，又是握住他的手又是拥抱他。最后，他们把他扛在肩膀上，抬着他走下山坡进了村子。

走进村子，我们受到了更加隆重的欢迎，虽然天气已经变得寒冷，村民们还是家家户户打开了大门，冻得瑟瑟发抖地走出家门欢迎医生。

我看着眼前的人，简直不敢相信，一个小小的村庄怎么能装下这么多人。

他们围在我们身旁，唱着歌，挥舞着双手，我想那应该是在表达感谢吧。

最后，我们被护送到一座崭新的草房子里住下，那儿有股好闻的青草香味。

在我们的新家里面，一场盛宴正等待着我们，有鱼和水果，丰盛极了。

部落里所有重要的人都出席了盛宴，并且已经在长长的餐桌前就座。长健邀请我们入席，享用美食。

我们非常高兴地接受了邀请，因为我们都饿坏了。不过，当我们发现那鱼居然是生的时，我们都很惊讶也很失望。然而，印第安人看起来觉得一切正常，他们往鱼上撒了一些调料，就这样生吃了。

杜立德医生忙说了一串抱歉，才对长健解释说，如果他们没有异议，我们希望能把我们吃的鱼烧熟。

然而，那位伟大的长健先生，懂得如此多的自然科学知识，居然不知道“烧熟”是什么意思。我们简直难以置信。

这时，波丽拉了拉医生的袖子，“我告诉你怎么回事吧，医生。”它小声地说，“这里的人没有火！他们不知道怎么取火。你看看外边，几乎都是一片黑暗，整个村子里都看不到任何一点火光，这是个无火部族！”

杜立德医生马上问长健知不知道火，并向他描述了火是什么。

长健摇摇头，说他只在火山口喷发时见过。这儿的任何一个人都不知道这东西是怎么来的。

“可怜那个冻死的人。”布穆博哀叹道，“老首领受冻而死，也是因为这个吧。”

这时，门外传来了一阵哭泣声。我们回头一看，是一个母亲抱着一个孩子，正向着那些站在门口的印第安人说着什么。

长健告诉我们，那位母亲想请杜立德医生替她的孩子治病，她的孩子生病了。

医生立即检查了一番，发现病因是因为天气太冷了。

“火，”他对长健说，“有火就没事了。如果不能保暖的话，这孩子会冻死的。”

“你说的对，可是怎么才能生起火呢?”长健问，“现在岛上所有的火山都是死火山了。”

我们在口袋里找了一大圈，也只翻出一两支受潮的火柴，已经不能用了。

“听我说，长健。”杜立德医生说，“生火的方法有很多，不一定要火柴。在太阳还没下山时，我们可以利用一块厚玻璃和太阳光线。但是现在在夜里，我们只能钻木取火,现在我需要两根木棍，一根硬的，一根软的，来回摩擦就可以取火。但我还需要引燃工具，比如一个旧的松鼠窝。”

“你真了不起。”长健说，“现在我们马上去找你需要的东西，你不知道，我们族长期在黑暗中生存，已经有了黑暗中识物的本领。”

说着，他吩咐一个印第安人去把松鼠窝找来了，外带软木和硬木也一起拿了过来。

月亮还没有升起，屋子里一片漆黑，屋里的印第安人走来走去，宛如在白天一样。

医生要取火也只能靠着手去触摸。而我在黑暗里待久了，竟也能看到一点东西，我生平第一次意识到，这世上没有什么地方是漆黑一片的，只要你开着一扇门或头顶一片天。

杜立德医生让人拿来一把弓，解下了弓弦，然后在那块硬木上绕了一圈系了起来，之后就开始在那段软木上来回摩擦。

这真是件神奇的事情，伴随着时间的消逝，我渐渐闻到了木头冒烟的气味。

接下来，医生把松鼠窝放在木头上冒烟的部分，加快了手上的速度，还要我轻轻凑过去吹。更多的烟雾弥漫在了房子里，烟雾气息越来越浓，终于，一点点火光出现在我的视线中，那是绯红的颜色，在松鼠窝上燃烧，我感受到了火的热度，我们取火成功了！

那些印第安人目瞪口呆地看着我们，一开始，他们几乎就要朝着火苗跪下，随后又想用手捉住它看看。

医生教他们怎么用火把鱼烤熟，当熟鱼肉的香味飘散时，他们闭上眼睛使劲儿嗅着空气中的味道，一脸的迷醉。

随后，我们又让他们取来一大堆的干木头，就在路上升起了一堆巨大的篝火，全村的人都围在篝火旁，享受着它带来的温暖。

很多年之后，这一幕仍然令我历历在目。

苍茫的夜色中，燃起一团熊熊的火焰，围着篝火坐着的印第安人，他们黑色的脸庞上挂满了惊奇和微笑，他们唱着歌，跳着舞，整个村镇的人都聚在这里，大家像一群孩子似的，拥挤着取着暖。

杜立德医生还教了他们怎么在各自的家中生火，怎样做烟囱。这个部落注定过了今晚将大变样，所有的人都在讨论着一个新的东西——火。

杜立德医生在给村子带来了火之后，他在村子里也“火”了，几乎他每天一出门，背后就会跟着一群他的爱戴者，他去哪儿他们便跟着去哪儿。

我们费尽千辛万苦，终于逃出了人群，我们一起去找长健，和他一起去探索这座小岛。

走了一圈后我们发现，小岛上的动植物都受到了严寒的侵袭，小鸟冻得瑟瑟发抖，有的已经被冻死了，很多花草树木都已经枯萎。

来到海岸边，我们发现，就在东南边不远处，有很多冰山漂浮在海面上。看起来，我们已经离南极不远了。

我们正留神观察海面上的情况，突然看到我们的老朋友海豚正出没在波浪之中。医生向它们打了个招呼，询问那些海豚，我们目前离南极大陆还有多远。

它们告诉医生，大约还有一百里，然后问医生为什么想知道这个。

“因为我们现在所在的是一座浮岛，”医生告诉它们，“现在它正随着一股洋流在不停地向南漂移。它以前是处于热带的，现在天气越变越冷，要是它就这么一直往南漂移，很快岛上所有的动植物都要灭绝了。”

“那么，”海豚们想了想，“现在是要想办法让它回到它原来的地方去吗？”

“是的。”医生说，“可是有什么办法呢？”

“你可以找鲸鱼帮忙，只要有足够多的鲸鱼就可以把岛推回去了。”

“真是太棒了！”医生兴奋极了，“你们可以帮我们找来几条吗？”

“没问题。”海豚们说，“我们刚还碰到了一群呢。我们这就去把它们叫过来！”

“谢谢你们，这真是太好了。”医生说，“我还想问问你们，你们知不知道这个岛是怎么成为浮岛的？要知道，这座小岛至少有一半都是石头构成的。”

“是这样的，”海豚们说，“这座岛曾经是南美大陆的一片山区延伸出来的一部分，就像一个尾巴。几千年前，不知怎么回事，它和大陆主体分离了，而且在它掉到大海里的时候，它的内部灌进了大量的空气，因为它恰好是空心的。你现在看到的这座岛其实只是它的小部分，它大部分在水面以下。它的底部正中心是一个巨大的石室，那是一个大气囊。这个气囊通到岛中央的大山心脏。这就是它能漂浮的原因了。”

“的确有意思。”医生自言自语，“我得把它记下来。”说着，他又去拿他随身携带的小笔记本了。

海豚们向冰山游去，没过一会儿，我们就看见一大群鲸鱼朝我们这儿迅速赶来。这些鲸鱼个头很大，少说也有两百多只。海豚们说服了那群鲸鱼，它们答应帮我们把岛推回热带去。

医生站在海岸边，朝海水里扔了一根树枝。没过一会儿，我们便看到树枝缓缓向南漂去。

“太好了。”杜立德医生叫嚷道，“看到了吧，这座岛终于又向北漂去了。”

海面上的树枝离我们越来越远，岛屿移动得越来越快，几座冰山变得越来越小，几乎快要看不见了。

“好了，我们去休息会儿吧。”医生松了一口气，“按照这个速度，我们要不了一周就可以回到巴西附近了。”

在我们回村子的路上，杜立德医生和长健开始探讨起关于自然科学的种种问题。

他们相谈甚欢，这时忽然跑来个印第安人，他带来了个坏消息。

长健听完后神情凝重地对医生说：“我们南边的邻居，拜哥家格拉斯人来偷袭我们了。这群强盗！小偷！他们长期以来觊觎着我们仓库里成熟的谷物。一直以来都来挑衅我们，眼前更是要来攻击我们！”

“的确不幸。”医生说，“不过咱们也别老往坏处想，他们是不是急需食物，他们的谷物是不是因严寒而没有收成？比起你们，他们是不是离寒冷的南极更近一点呢？”

“对待拜哥家格拉斯的人，你绝不能往好处想。”长健摇了摇头，“他们游手好闲，不干农活，想通过偷袭我们不劳而获。要不是他们的部落更大一些，他们是绝不敢挑衅勤劳勇敢的波浦息拍特尔人的。”

我们走近村子，发现到处都是一片紧张的备战气氛，男人们修整弓箭，女人们竖起篱笆。信使来回走动，观察着南方山林的动静。

医生试图去见地方首领，想着调解一下，看能否以和平方式解决。

长健连连摇头，说起上一场战争中他们派了一个信使去调解，可是粗鲁的拜哥家格拉斯的人一刀把信使劈成了两半。

“好吧！”医生说，“我反对战争，可是如果村庄受到伤害，我们就应该守卫它！”说完，他从地上捡起一根木棒，试了试分量，“这就是我的武器了。”他走向了篱笆，加入了备战队伍。

我们没有一个人躲在背后，甚至连其其和吉仆都立在篱笆那儿，准备随时加入战斗。

然而，敌人一走近，我们便看清楚了，密密麻麻的全是人，大家倒吸了一口冷气。在他们面前我们这点人无异于蚍蜉撼树。

“我的天！”波丽叫道，“我得去寻找外援帮助。”说着，它一溜烟就飞不见了，我一脸疑惑。

这时吉仆解释道："它是去找黑鹦鹉了。让我们祈祷它能找到并能及时赶回来吧！"吉仆话音刚落，拜哥家格拉斯的人便发动了进攻，团团围住我们。

这是我们这次海上旅途中最紧张的一段，杜立德医生、长健和布穆博他们为了保护这个小小的村庄而拼命战斗，抵抗着拜哥家格拉斯的暴徒。他们像一堵厚实的墙牢牢挡住了侵袭者的脚步，这个岌岌可危的小村子因为有他们而变成了难以入侵的地方。

篱笆在敌人的攻击下裂开了一个又一个口子，杜立德医生和布穆博去防守这些薄弱的地方，把敌人一个接一个扔出篱笆外。

这边刚把敌人打跑，那边又告急，他们不得不在这些薄弱之处来回奔波。

勇敢的波浦息拍特尔人，他们绝不认输，他们勇敢作战，他们身上展露出的英雄气概和誓死保卫部落的精神让人深深折服。

他们是如此得英勇，可惜他们人太少了。虽然他们是如此奋不顾身，可还是没能抵抗住无穷无尽的敌人。

当第一个敌人突破了篱笆进入到我们的地盘时，战争进入了白热化阶段。

突然，我看到长健威武的身躯颤动了一下，他倒了下去，胸膛上插着一根长矛。

布穆博和杜立德医生并肩作战，又坚持了大半个小时。我无法想象杜立德医生是如何用他并不高大的身躯支撑了那么久，他平常是一个那样和蔼的人，可是上了战场之后他似乎拥有着无穷无尽的力量，他挥动着手臂，抵抗着敌人，左右开弓。

布穆博王子瞪大了眼睛，把门柱抡得飞快，几乎没有人能够近他身。然而他最后还是精疲力竭了，手中转动的门柱慢了下来，一块石头腾空而出砸到了他的额头。他重重地倒下了。

现在三位勇士中只剩下杜立德医生孤军奋战，我和吉仆跑到医生身旁，想要代替倒下去的人，可是我们的力量太过微不足道。又有一群敌人冲了上来。

“你们快跑，往海边跑，坐上独木舟，去逃命吧！我们被打败了！”波浦息拍特尔人冲我们喊道。可是杜立德医生和我连跑都还没来得及，就被敌人冲倒在地。我绝望地想，恐怕是要被踩死了吧。

就在此时，天空中传来了一阵可怕的尖啸，那是千百万只鹦鹉在发出愤怒地叫声。

波丽率领着“军队”来解救我们了！它指挥着成群的

黑鹦鹉向拜哥家格拉斯人发起了进攻。

它们三四只鹦鹉对抗一个敌人，狠狠抓住他的头发，然后俯下身去啄他的耳朵，就像缝纫机一样“咔嚓咔嚓咔嚓”。拜哥家格拉斯的人全部捂着耳朵惨叫，纷纷逃窜出了村子。

这场战斗在黑鹦鹉的帮助下取得了胜利，敌人一退却，医生就投入到了治疗中，布穆博没什么大事，长健却伤势严重。

波丽率领着鹦鹉大军停留在上空，监视着他们撤退，直到他们消失在南边的林子里。

“我们得签订个和平协议。”医生说，“就明天，我们去拜哥家格拉斯部落。”

听到这话，大家都沸腾了，战争结束了！波浦息拍特尔人成功守卫了他们的家园。

第二天，我们从海路出发，乘坐独木舟前往拜哥家格拉斯部落所在的村镇。

一路上医生都十分愤怒，生气他们发动战争的原因仅仅是因为自己好吃懒做想去抢夺别人的食物。直到我们进了拜哥家格拉斯部落，他还是怒气冲天。

拜哥家格拉斯人一个个都垂头丧气的，在他们村子外面，波丽带领着黑鹦鹉时刻注意着他们的一举一动。我们跟着杜立德医生和同行的波浦息拍特尔人一起走进宫殿，酋长带着若干人正在等候着。看到我们进来，他们脸上都挂起讨好的笑容，想来和医生握手。不过，医生理都没理他们，走到宫门前，转过身，用清晰而坚定的声音对部落里的人发表了一番演讲。

他严厉地斥责那些游手好闲的人，告诉他们要自己通过劳动获得食物，警告他们如果再侵犯波浦息拍特尔部落，他会让黑鹦鹉把他们赶到海里去。

一听这话，村民们纷纷恳求饶恕，酋长带领着所有人跪倒在地。

随后，杜立德医生话音一转，要求签订和平协议，并让他们部落的记录员把协议刻在酋长宫殿的石头墙上。酋长一听这话，连忙答应了，他看到医生怒气冲冲的样子，以为医生要把他们逐出这个地方呢。

然而医生是如此善待他们，这些人的恐慌一下全变成了崇敬。当杜立德医生结束演讲，准备离开时，他们纷纷请医生留下来，他们愿意让他当酋长，让他带领着他们走向繁荣与和平。

医生严厉地拒绝了他们：“没有人愿意做拜哥家格拉斯的客人，除非你们成为一个诚信善良勤劳的民族。请严格遵守和平协议吧，你们的首领会带领你们走向繁荣！”

他话说完就大步离开了，我跟在他身后，心里涌起无比的自豪。

在我们即将乘着独木舟离开时，拜哥家格拉斯的首领正和跟我们来的几个波浦息拍特尔人商量着什么。我听不懂他们在说些什么，不过我注意到随后一些拜哥家格拉斯人跳上了几架独木舟，一路上以一种敬重的姿态护送我们回到了波浦息拍特尔。

医生早就决定回去的时候走另一条海路，这样他就能把整个小岛看个遍，对它有个全面的了解。我们发现植株猴岛上已经是一片绿色，树木长得葱葱郁郁，小鸟在歌唱，而我们忠诚的鲸鱼朋友仍在执行着任务，把岛往北边推去。此刻我们才注意到，植株猴岛上已经不冷了。

在离波浦息拍特尔村子还有一半路程的地方，我们登了岸，这是个风景奇异的地方。高峰耸立，到处都是悬崖峭壁，我们在印第安人的带领下登上了顶峰。

一眼望去，映入眼帘的是一个巨大的盆地，它四周都是高高耸立的山峰。盆地中心最低处向上突起，形成一个巨大的石台。和我们同行的波浦息拍特尔人此刻变成了向导，他向我们介绍这里叫作“而语岩”，在这里小声说一句话，所有人都能听见。医生解释说这是回声效应。向导又告诉我们，在很久以前，植株猴岛都是波浦息拍特尔人统治时，就在这儿举行国王加冕仪式。大石台上的象牙椅就是供国王坐的，他所有的臣民全在这儿观礼。

向导们还指给我们看一块悬石。那可真是奇特，高高的火山口边上盘踞着一块巨大的石头，它仿佛只有一个支点，帮助它站立在火山口上，一副摇摇摆摆的样子，好像一伸手就能把它推下火山口。向导绘声绘色地对我们说，他们部落有个传说，当波浦息拍特尔人最伟大的国王登上王位的那一刻，这块悬石会坠入火山口，一直滚落到地心之中。

医生说，他想去悬石跟前去看一看。我们费了好大劲儿才爬到火山口，近距离观察，这才发现那块石头是如此的大，黑黑的一个大怪物。巨石下边是一个幽深的黑洞，直通地心，一眼看不到底。医生告诉我，火山爆发的时候，火焰浆就会从这个洞里喷发出来，不过现在岛上的火山都变成了死火山了。

“斯塔滨司，”医生望着高高悬挂在我们头上的大石头，问我，“要是这块大石头掉下来，你说会发生什么事？”

“我不知道，”我说，“会发生什么事？”

“你还记得吗？海豚们说过，在这座岛的正中心下面有个大气囊。你看，这基本位于这座岛的正中心。这块巨石如此沉重，要是它掉进火山口，就会一直砸到那个大气囊把它砸破。这样空气就全跑掉了，这个岛也不会再漂浮。它会沉进大海。”

“可是那样岛上的村民不就要葬身大海了吗?”布穆博王子在一旁问道。

“这倒不会，这要看当时沉没地点的海水有多深。也许才落下就挨到海里了，那么大部分都还在海面以上。”医生解释道。

“那这样就皆大欢喜了。”布穆博说。

看完悬石后，我们跳上独木舟，才发现拜哥家格拉斯的人仍然划着船跟着保护我们。一路上，医生十分担心长健的伤势。

一到波浦息拍特尔村，我们就发现一大群人围在过世的老酋长的屋子边。我们询问这是怎么一回事，被告知部落正在进行新首领选举。布穆博赶紧问是谁当选了新酋长，但是消息还没发出来，要中午才知道。

杜立德医生先去看望了长健，他恢复得很不错。于是我们放心回到了住处，这真是忙碌的一天，我们一躺下就睡着了。

第二天一大早，我们便被一阵音乐声给吵醒了，我打开门，发现我们房子周围被波浦息拍特尔人给团团围住了，他们都穿着华丽的衣裳，插着绚丽的羽毛，每个人都是一副兴高采烈的样子。

波丽刚飞了回来，一进屋就叽叽喳喳地说："选举结果刚刚出来了，新当选的部落首领的名字已经公布了。"

"新首领是谁啊？"杜立德医生漫不经心地问道。

"是你啊！"

"我？"杜立德医生指着自己的鼻子，不敢置信地问，"怎么会？"

"是你。"波丽说，"他们说你是个伟大的人，可以带领他们走向繁荣。而且你现在不仅是波浦息拍特尔人的首领，还是拜哥家格拉斯的首领。拜哥家格拉斯的人昨晚来这儿就是来打听消息的，他们想让你统领他们，可惜他们来晚了一步，他们失望透顶。但是他们最后愿意放弃主权，坚持和波浦息拍特尔合并在一起。这样，你就是他们两个部族的首领，植株猴岛的国王了。"

"可是我不想当什么国王。"医生皱着眉头，一脸的不情愿。

"那可由不得你了，他们现在已经把这个房子围了几个圈，你想出去都难了。"波丽说。

"我觉得，医生。"我说，"您应该为这件事感到自豪啊，我巴不得有机会当国王呢！"

“唉。”医生叹了口气，“这件事听起来很神气，可是当国王必须担负起很多责任，如果我当了国王，就必须对岛上所有的人负责。可是我还有自己的工作呢，如果当了国王，我根本没有时间做我喜欢的事，每天都在忙碌。那样我还算什么博物学家呢？”

“好了，医生，你现在先把鞋带系好吧。他们要进来宣布你当选了。”波丽提醒道。

这时，那些围在门前的人们纷纷让出了一条长长的通道。

部落里最有名望的一群人朝我们走了过来，走在最前面，手拿王冠的老人走到医生面前便跪了下去。

然而，医生这时候却还在手忙脚乱地整理着自己的衣冠。

“陛下。”老人说，“我们带来了全体人民的请求，您是如此的智慧，胸怀宽广。因为您，我们昔日的敌人，拜哥家格拉斯部族，成了我们的朋友。他们同样请求接受您的统领。我向您献上神圣的王冠，请您莅临‘而语岩’，登基加冕。我们希望您能成为我们植株猴岛所有人的国王！”

看样子，这位老者丝毫没有考虑到医生会拒绝，而可怜的医生此刻急得脸色都变了。

"天啊，我不想当国王。"他低声念叨，转而对门外所有的印第安人说，"朋友们，你们给予了我如此大的信任与荣誉。但是对于管理国家我真的一窍不通，在你们勇敢的族民中，我相信一定可以找出一个比我更适合当国王的人。我请求你们，别把这样大的重任交给我，我无法胜任！"

但是，人们都固执地摇了摇头，谁也不愿重新选国王。

老人对杜立德医生说："大家都选中了你，除了你，谁也不行！"

医生的脸皱成一团，忽然他的眼睛似乎亮了一下，"也许我可以去找长健，让他出出主意。"他小声地对我说。

他对门口的几位老人说了句稍等，就匆匆跑开了。长健正在卧床养伤，一看到医生十分惊讶。

医生来不及寒暄，连忙说："老朋友，我遇上大麻烦了，这些人非要我当他们的国王。可是我只想当一个博物学家，我请求你，你去跟他们说吧，他们是一片好意，可是他们的决定并不明智啊！"

长健用胳膊肘支起身子，"朋友，我很难过，你要求我做的这件事我办不到。这些村民下定决心要你去当国王，要是我去干涉了，他们非但不会同意，还会把我赶出村子，到最后你还是得当国王。我看你还是先接受王位吧，等干一段时间后，我们再想办法安排你卸掉王位。可是现在你只能接受了。这个部落的人可是出了名的固执。”

杜立德医生沮丧地转过身，发现拿着王冠的老者正站在门外，他旁边停着一顶华丽的王室轿子，后面还跟着一大群人。

杜立德医生四下看了看，周围被印第安人围得水泄不通，想逃跑基本不可能了。

他又望了一眼长健，长健只是摇了摇头，用手指着那顶轿子。

最后杜立德医生一百个不情愿地上了轿子。当他被人抬起来的时候，我还听见他嘴里在嘀咕：“太麻烦了，我不想当国王！”

游行的队伍抬着杜立德医生朝着那个巨大的山谷出发，后面跟着一大群村民，庄重的加冕仪式将在“而语岩”举行。

在此之前，我从未见过这样盛大的庆典。整个岛上的人都来了，男女老少全部都聚集在这里，没有人想错过这一场盛典。放眼望去，人山人海。

然而这儿却没有一点声音，大家都保持沉默，这是肃穆的安静，每个人都对这场加冕仪式怀着最崇高的敬意。

中心那块大石台上，竖起了一根色彩鲜艳的图腾柱。

它是杜立德医生的图腾柱，上面雕刻着各种动物，这是为了展示杜立德医生丰富的动物学识。

还有一只巨大的黑鹦鹉，是为了纪念《黑鹦鹉和平协定》。

还有一个火把，代表着杜立德医生为他们带来了火。

石台上的象牙椅被打磨得光洁无比，在阳光的照耀下熠熠生辉。

椅子脚边撒满了鲜花。杜立德医生就坐在那顶皇家轿子上，慢慢沿着盘旋的道路被抬上了大石台。

轿子落下，医生在那个老者的陪伴下，一步一步朝着象牙椅走去，全场是如此安静，甚至都能听到他轻微的脚步声。

医生坐上了象牙椅，那位老者转过身面向全场发表了长长的讲话，他的声音坚定有力，每一个字都传遍了整个山谷。

他首先提到了波浦息拍特尔历任国王，说着这个部族的伟大，说起那些国王的功绩。

最后肯定杜立德医生的功绩已经超过了以往每一任国王，他讲起杜立德医生为波浦息拍特尔部族做过的事，并相信他会带领他们走向繁荣！

最后，老者结束了演讲，郑重地走向宝座，拿起神圣的王冠，将它戴在杜立德医生头上。

之后老者转过身面向全场，说道："波浦息拍特尔的人们！请看看你们选择的国王吧！你们满意吗?"

这是一个可以发声的信号，顿时所有的人都沸腾了，他们挥动着双手，所有人都在高呼："万岁！万岁！国王万岁！"

声音回荡在'而语岩'，我们甚至都能感受到脚下的土地在微微震动。

此起彼伏的声音在山谷中回响，仿佛一块巨石掉入了大海，轰隆隆、轰隆隆。

突然，我看见那位老者指着最高的山峰，他的手指似乎有些颤抖。

我望过去，刚好看到那块巨大的悬石慢慢颤动着，最后掉进了火山口。

"传说显灵了！"那位老者大叫道，"今天最伟大的国王加冕了！"

医生盯着那块石头，看着它滚入火山口，我猜他肯定是在想那个大气囊的事。

足足过去了一分钟，我们才听到远远地传来一声沉闷的声响和咔嚓咔嚓的摩擦撞击声，紧接着，又听到了巨大的漏气声。医生脸上的神色更加紧张了，两只眼死死盯着大海。

很快，我们就感觉到脚下的土地在向下沉，周围的海水灌上了海滩，海岸渐渐消失。

我们的心随着岛慢慢下沉，终于，它停住了！靠近海岸的房屋被淹没了，但是没有人死亡，大家都来参加加冕典礼了。

后来医生告诉我们，是部族村民们一起发出的吼叫引起空气的震动，才把那块悬石震动得掉了下来。

但现在那些印第安人不知道发生了什么事，他们在史书上记录，这位国王是那么伟大，以至于海岛也不得不自愿下沉，表达对他的敬意，再不敢四处漂移了。

第七章

以前，我对当国王的事情非常好奇。在我眼中，国王只需要每天坐在王座上，吩咐下令，让国民来朝拜他。

可是杜立德医生登上王位不过几天，就完全改变了我原来的看法。

原来当一个称职的国王是如此辛苦，从每天早晨睁开眼到晚上上床睡觉，无时无刻不在工作，甚至没有休息日。离海近的房屋被淹没了，急需建立起一批新房屋。杜立德医生经过精心考察，最后决定将新城建在一条大河入海口，那是个非常美丽的地方。以后还会在这里修建一个海湾，供来往的船只停泊，使它们免受风浪侵扰。

在建立新城的过程中，杜立德医生还告诉他们怎么打通下水道，怎么建立垃圾焚烧场。

在高高的山地上，他建了一个堤坝，拦住路过的溪水，形成一个大湖，解决了人们的用水问题。生活环境变好了，饮用水也干净了，困扰这儿的印第安人的许多疾病一下子全都消除了。不仅如此，杜立德医生还踏遍了群山寻找到了金属矿，教会他们怎样冶炼金属，做成各种物件，如铁犁、刀子等。

杜立德医生曾对我和布穆博说过，如果他不得不当国王的话，也决不当那种盛气凌人只吩咐不做事的国王，他要和他的子民亲如一家，当一个民主型国王。

他的确也是这样做的，他没有为自己打造金碧辉煌的宫殿，他给自己建造的不过是后街上一座小小的村舍。他没有穿华丽富贵的衣服，他依然喜欢他那顶半旧的帽子。但是波浦息拍特尔人不管怎样也不肯答应，他们给他建造了一艘皇家独木舟，又长又宽，上面镶满了珍珠，闪闪发光。他们还给他做出最美丽的衣服，把他那顶帽子束之高阁。

医生面对他们的好意，也只能无奈地接受，即使他偶尔从皇宫宫殿溜出来进行一次短暂的博物学远足时，他也不得不穿成这样跟在蝴蝶后面猛追，华丽的长袍在他身后被风扬起老高。

等待着医生处理的事情是如此得多，大到解决边界纷争，小到调解邻里关系。

每天上午九点到十一点，他都得坐在这里解决各种事情。每天下午，医生又得去学校上课，当然，他教的不是简单的课本知识，而是像天文学、婴儿护理、农业科学这样的课程，每天下午，教室里总是座无虚席。

杜立德医生是不愿意当国王的，可是他一旦当了国王，就承担起了国王的责任。他不像历史上的国王一样穷兵黩武，他是植株猴岛上所有民众眼中最好的国王。

我们来到这座岛上已经七个月了，虽然我和布穆博都有自己漂亮的房间，波丽、其其和吉仆也和我们生活在一起，但是我们还是不可避免地想起了英国。这天晚上，我们吃过晚饭后围坐在大圆桌旁，商讨着明天要做的事。

说着说着，不知怎么我们就说到了这儿的食物，它是如此糟糕，这儿的厨师个个都是糟蹋东西的好手，再美味的原材料在他们手下都会变得一团糟。我们已经烦透了印第安口味了，我们想念英国的美食。

“我现在最想喝一大杯热可可，上面加着打起泡的奶油，真是美味了。”布穆博回味无穷地说。

“你们觉得，医生打算什么时候离开这儿？”吉仆问大家。

“昨天我跟他谈过这个问题，”波丽叹了口气，“但我没有得到确切答复。看来他还不想谈论这个问题。我真的怀疑，杜立德医生根本就不打算回家了。”

“怎么会?!”我们异口同声地惊声叫道。

这时，外面忽然传来了卫兵的口令声：“国王回宫！敬礼！”

“我们还是现在和杜立德医生讨论一下吧。”波丽提议道。

杜立德医生走了进来，神情很严肃，他换上睡衣，静静坐在那里装上他的烟斗，叹了一口气后抽烟。

一片静默。最后我打破了沉默：“医生，我们正在讨论。你打算什么时候动身回家呢?我们已经来这个岛上七个月了。”

医生坐直了身子，看起来也很烦恼：

“事实上，我也打算今晚找你们讨论这个事情。但是，我很难让你们明白我的处境。呃，恐怕我现在很难离开这里。我说过，从我当上国王的那天起，就要承担起国王的责任，现在植株猴岛的村民生活状况刚刚好转，我无法想象我离开后我教他们的东西会被怎样滥用，那会比原来他们还不懂这些的时候更可怕。我多想继续自己的航程，继续搞我的研究，多想回到泥糖镇。

可是我不能丢下他们，我改变了他们的生活，可是还没有完全改变成功，我担心我一走他们又会像以前一样，战争、迷信、惧怕外来人。我不愿辜负他们的信任，我也喜欢勤劳勇敢纯真善良的他们。我怎么能突然离开呢？他们就像我的孩子，我怎么能在他们还没有生活能力的时候离开呢？我想了很多，想知道该怎样做才是最好的决定。我想我既然承担了这份责任，就要坚持下去。所以，我恐怕要留下来了。”

“你打算永远地留下来？”布穆博王子低声问。

医生皱着眉头，沉默了好一阵子，才缓缓开口：“我不知道，但至少现在不能离开。”

接着是一阵压抑的沉默，直到响起了敲门声。

杜立德医生叹了口气，披了长袍起来开门，门外站着一个侍从，他向医生鞠了一个躬，说道：“陛下，有人想见您，他说他是长健。”

“长健！”医生惊喜地叫起来，“太好了，快请他进来！”

随后又是敲门声，医生答应一声，门应声而开。长健站在门口，他身后跟着两个脚夫，帮他挑着两大担捆得结实的行李。

“陛下，请看。”长健说，“这些是我收集的植物标本，如我所说，我现在全部把它们带给您了。这是我这一生的心血。”他打开了那些行李，仔细把它们陈列在桌上。

在此之前，我一直对植物学研究不感兴趣，但在长健介绍了他的收藏后，我便被它深深地吸引了。

他拿出一小盒颗粒很大的豆子，说道：“这是哈哈豆，人吃了它，就会哈哈大笑。”

长健话音刚落，布穆博就迫不及待拿了三颗豆子往嘴里送，一下子全部咽了下去。

“唉！这种豆子只要吃上四分之一就会发挥作用。一下子吃了三粒，我们祈祷他别被笑死！”长健看到布穆博的举动，惊慌地说。

哈哈豆的作用果然在布穆博身上显现出来，他脸上展现出一个大大的笑容，而后笑声开始传出，最后大笑不止，整个身体都在颤动，我们不得不把他放到隔壁房间的床上去。

整个夜里他都在笑个不停，甚至第二天吃饭时他脸上都挂着笑容。

后来，杜立德医生告诉我们，要不是布穆博身体强壮，他有可能就这样笑死了。

而后，长健又给我们展示了一些红色的根茎，说吃了它之后就会不停跳舞。这次，我们没人敢再尝试了。

长健收集的那些东西，既有意思又大有用处：一种从野葡萄里提炼出来的油，抹在头发上，头发会一夜之间长长；一罐黑色的蜂蜜，喝上一小勺会让人很快入睡；一种水果，吃下去能让人声音变得动听；一种苔藓，吃下去就不会晕船；一种蔬菜，吃下去能够治愈毒蛇咬伤……

医生对这一切极度痴迷，一直到深夜，他都还在研究那些植物标本。长健说一个，他就把它们的名字和作用记在笔记本里。米蓝答说得对，长健真是一个了不起的博物学家。

“长健已经创立了自己的药剂学体系，要是将这些东西带回英国，将会在药学上引起多大的反响啊，长健的名字应该被放置在卡·林奈旁边，同样不朽。什么时候我才能把这些东西带回英国呢？”他嘟囔着，“这是个问题，什么时候才能回去呢？”

从上次讨论过回家的问题后很长一段时间里，我们都没有提起过这个问题，转眼荷绿蛙鸣，我们又即将在这里迎来一个夏天。

杜立德医生的事情没有越来越少，随着时间的流逝，反而越来越多，他的时间更多花在管理国家上。我知道他也想念泥糖镇上的大花园，动物园里的各种动物，但他从来不说，只是偶尔独自坐在一旁哀伤地沉思。我真的相信他会一辈子留在植株猴岛上，直到后来发生的一件事，那多半还是波丽的功劳。

波丽早已对这儿的生活厌烦了，有一天它对我说起：“一想到著名的约翰·杜立德要把他宝贵的生命全部浪费在这里，我就太生气了。看看他在做什么事吧，他在主持一个新的剧院的奠基仪式，明明这里已经有了一个剧院。”

“你真的觉得，他永远不会回泥糖镇了吗？”我问。

“我不知道。”波丽说，“有一阵子我相信，他只要想到了留在家里的那些动物就会马上回家，然而去年八月份米蓝答捎来口信说家里一切安好后，我就不指望这个了。这几个月我都在想，有什么办法可以让医生的注意力重新转回到博物学研究上呢？必须发生什么大事，可是这里，根本就没有什么大事，医生整天都在想着修路、教小孩算术什么的！”

这一天天气特别好，我们躺在海滩上，阳光刺眼，海水涌起蓝色的波浪。我想起了我的老爸老妈，不知我这么久没有回去他们有没有想我。

波丽在一旁，嘴里不知嘟囔着什么，微风轻拂过我的脸庞，我不禁昏昏欲睡了。

忽然，海岛猛然动了一下，不是以前的那种漂浮，而是猛地颠簸了一下，好像有什么力量把它掀起，它又重重落下。

我惊醒了，恰好听见波丽刻意压低而又兴奋的声音，“快看！我们的机会来了！”它指着大海边。

我顺着它指的方向看过去，我居然看到了一个巨大的淡粉色贝壳！它是如此美丽，背上的纹路在阳光下闪烁着七彩的光芒，它像一座小房子，高高矗立在海面上。它慢慢游动着，围在它身边的海水被溅起细碎的海浪，泛起雪白的飞沫。我简直不敢相信眼前的一切是我亲眼所见。

“老天，那是什么?”我小声地问波丽。

“它啊，”波丽悄悄对我说，“就是千百年来水手们口中的海中巨兽。我以前在船上见过，不过这么近距离看到倒是头一次呢。我严重怀疑，其实它就是匪奇特口中的‘勃利大帝螺’。汤米，我们的运气来了，要让医生看见这只大帝螺，他准会兴奋得睡不着，马上就会想要开展他的博物学研究了，我们就有机会离开这个小岛了。现在我去叫医生过来，你看着它，注意动作轻一点，别吓到它，它们胆子都很小。我会赶在它回那个大深洞前回来。”

波丽飞走了，我观察着那只勃利大帝螺。它动作非常缓慢，时不时从水里抬起头来，露出长得出奇的脖子和触角。有时候它停下来，挺一下身子，再走一步，像一只蜗牛走路那样。它看起来有气无力的，我猜它一定是哪里受伤了。

直到波丽和杜立德医生来到了这里，那只大帝螺还在缓慢地移动。医生一看见这只大帝螺，整个人都变了，眼里透出兴奋的色彩，我已经好久没见过他这样的神情。

“是它！”医生轻声说，“就是那只勃利大帝螺。波丽，你去海边走走，看能不能找到一两只海豚，问问它们这只大帝螺出什么事了，它们可是很少到沿海来的。斯塔滨司，你去港口划一只小舟过来，不过划过来时一定要小心，别惊动了它。”

我转身要走，波丽又在我耳边悄悄说了一句：“别告诉任何一个当地印第安人，否则我们这儿就会被围得水泄不通了，还好我们是在一片没人的海湾发现它的。”

我跑到了港口，找到了一只独木舟。我飞快地跳进去，划着舟就走了，我把桨划得飞快，生怕晚一点那只大帝螺就不见了。

所以，当我看到它还停留在海湾时，心里别提多高兴了。

波丽也完成了任务，带了一对海豚过来。眼下，医生正在和它们交流，问它们知不知道大帝螺为什么会出现在这儿。

两只海豚惊讶地说："你不知道吗？就是你把这座海岛弄沉的时候，恰好盖住了'大深洞'，就像给一个瓶子盖上了瓶盖子。那时，里面的鱼都飞快往外逃，可是大帝螺住在大深洞最低处，它还没来得及完全逃出来呢，这座小岛盖下来时，它的大半个身子已经出来了，但尾巴被夹在洞口了。这六个月来，它一直被夹在那儿，拼命想要挣脱，它也就是刚刚才挣脱出来，你们没感觉到一个小时前发生的那场小地震吗？"

"是的，我感觉到了。"医生说。

"嗯，就是因为那只大帝螺把海岛顶了起来，那时里面其他的鱼才有机会逃出来呢。亏得它体型巨大，才有力气，可是它也因为用力过度把尾巴上的关节扭伤了，肿得厉害，它不得不找个安静的地方养伤，就选择了这片沙滩。"

"我的天！"杜立德医生自责道，"我应该事先给个通告，让那些鱼早点出来的。真是抱歉，这纯属偶然。据你看，它伤得重不重呢？"

"我们也不清楚。"海豚说，"我们不懂它的语言，不过我们围着它转了几圈，看上去不是很严重。"

"那么你们能不能帮我们找一找会说贝类语言的鱼类？"杜立德医生问。

“我们试试看吧，毕竟这是最难的一门语言了。”

“实在太感谢你们了。”杜立德医生说，“我有很多问题想问这只大帝螺，另外，我也想尽我所能替它疗伤。”

“你在这儿等着吧，我们去找找看。”海豚们说完便游走了。我们焦急地等待着它们回来。

海豚们不停地游来游去，它们带回来一个又一个海底生物，可是几乎没有动物会说贝类语言。最后，它们找回一只老海胆，它不会说贝类语言，可懂一点海星语。

这可把海豚们激动坏了，海星离贝类已经很接近了。它们把海胆留下，又找回了一只海星，虽然这只海星看起来有点傻气，可它很乐意帮我们，并且它还真能说一点贝类语言呢！

杜立德医生和我激动地登上了独木舟，海豚、海胆还有海星跟在我们后面游动，我们划着船慢慢靠近那只大帝螺。

接下来，是我亲眼所见的最稀奇的一番谈话。由海星负责向大帝螺问问题，大帝螺回答后，海星翻译给海胆，海胆再翻译给杜立德医生。

这样交流虽然艰难，但是杜立德医生别提多高兴了，全部把它们记录在笔记本上。大帝螺说话的时候，医生就把耳朵贴在它的外壳上，果然听见了低沉浑厚像钟声一样的声音。

这样一个接一个的传话难免有所遗漏，最后杜立德医生亲自上场，他仔细听了大帝螺的语言，又让翻译官不停重复其中一些简短的词语。杜立德医生又会一些鱼类语言，最后他开始直接和大帝螺交流。

一开始难免是鸡同鸭讲，难以交流，但这样两次三番后，杜立德医生竟能简单地和大帝螺交流了。又用了好几个小时，杜立德医生总算取得了些成果，他脸上挂着满意的笑容。

“斯塔滨司，我已经说服了大帝螺让它去海滩上找个干的地方休息，我给它检查一下伤势。你现在能不能回城一趟，把我的药箱拿过来？”

我应声回去。当我取回药箱回到海边时，大帝螺已经上了岸。医生从我带来的药箱中拿出一大瓶药膏，把它均匀地涂在大帝螺受伤的部位，然后又用绷带缠好。大帝螺显然对医生的治疗非常满意，它懒洋洋地趴在那里，看起来惬意极了。

“我们回去让布穆博来陪大帝螺吧，他已经睡了一天一夜，也该满足了。大帝螺受伤了肯定不希望独自待着。要不是我这么忙，我也想陪它呢，我有好多事想和它聊聊呢！”医生边说边收拾药箱。

波丽在一旁说道："医生，你也应该休假了，有个假期来陪大帝螺也好。你看别的国王，都有假期的，每隔一阵子都要休息，可他们也是称职的国王。你从上任到现在还没有休息过呢。你现在休假不可以吗？"

"是啊，"医生说，"我想我是没休过假。"

"那么既然这样，我告诉你，"波丽说，"你待会儿一回到王宫，就立即发布一份皇家公文，说出于健康考虑，你需要一个礼拜的时间去乡下走走。而且，你不需要任何仆人的跟随，就像个普通人一样。这叫作微服私访，国王都会这样干的。你就可以利用这一周的时间和大帝螺好好聊聊，你觉得这样可行吗？"

"我当然希望这样，"杜立德医生想了想，说，"这个办法真是太诱人了，可是我们的新剧院还没盖好，那些木匠没一个知道怎么把椽子架上去，我得告诉他们。还有那些小孩，他们的土著妈妈可真是太无知了……"

"听着，医生！"波丽严肃地说，"剧院可以停工，等一个礼拜，而且那些小孩，以前在没你的时候他们也生活下来了，他们并不是活得那么糟糕。你现在最需要的就是休息！"

从波丽的口气中，我隐隐明白这个休假应该只是它计划中的一部分。

杜立德医生没有说话，我们默默向城里走去，不过我知道波丽的话对杜立德医生起了作用。

那天晚上，杜立德医生从王宫消失了，他没说他要去哪里。这是从未有过的，当然我们知道他一定是去看大帝螺了，因为那天布穆博好好地睡在床上。

也是那天晚上，我们的内部会议召开了。

“我听说，各位。”波丽把门关上，对我们说，“无论如何，我们都得说服医生让他休这个假。否则我们后半辈子都得在这个海岛上度过了。”

“可是如果杜立德医生同意了休假，事情又有什么不同呢？”布穆博好奇地问。

“如果有整整一个星期，让他不受打扰，专心和大帝螺交流，这肯定又会激起他想研究博物学的心思，大帝螺还有可能实现他想下深海去看看的梦想，那么他就有可能离开这个讨厌的地方。只要他当国王一天，他的全部心思都会被政府事务占据。”波丽解释道，接着它继续说出它的计划，“如果我们要离开这儿，就只能秘密逃离，要让岛上的印第安人知道了，他们肯定会围起来不让医生走。因此他必须休假，没人知道他在哪儿，这样我们就可以安全逃走了。”

我使劲儿点点头，要是岛上的人知道杜立德医生有离开的念头，他们肯定会拿铁链把医生拴起来。

“要是我们成功说服医生休假的话，我们下一步就是去说服大帝螺，让它同意用壳把我们全部载回泥糖镇。医生肯定经受不住这个诱惑，更何况他能把长健带来的新型植物带回去，还能亲自下深海看看。他一定会走的，我知道！”波丽自信地说道。

“我简直迫不及待了！”我激动地叫起来，“你是说，大帝螺会带着我们一路从海底回到英国吗？”

“当然啦，这对大帝螺来说可是小菜一碟呢。总之，我们要是让医生成功休假，我们就可以回英国去了。”波丽说。

“但愿他肯。”吉仆有气无力地说，“我已经受不了这个该死的热带小岛了，整天都让人没精打采的，也没有老鼠什么的叫你去追。我真是太想念泥糖镇了。”

“到下个月底，咱们就离开英国整整两年了。”我说，“还真是想早点回家呢。”

“还记得当时我们走时，泥糖镇上的人朝我们挥手告别。”吉仆说，“他们也是时常念叨着我们吧。”

“别说了，”布穆博叫道，“再说我就要流泪了。”

第二天早晨，我们迎来了最好的消息，医生和大帝螺彻夜长谈后，决定给自己放一周的假。

皇家公文立即交由街头公告员去四处发布，说国王陛下要到乡间休假一周，在此期间，王宫以及一切机关正常办理政务。

波丽大喜过望，立即安排了我们接下来离开的事情，包括要去哪儿，要带走什么，何时动身。长健是唯一知道这件事的印第安人，他说要和我们一起到海滩那儿，去看看那只大帝螺。

于是，波丽安排他一定带着他收集的那些植物。布穆博王子带着医生的那顶帽子，藏在大衣里面不让医生发现。波丽还打发走了几乎全部负责夜班执勤和在城中跑腿的仆役们，以防走漏风声。

最后，它选择在夜半时分，当城镇中的人们大半已经沉睡之时，作为我们这次行动的时间。

为了这次离开，我们带上了一周的干粮，再加上其他行李，我们每个人都带着一大包东西。时钟指向了十二点，我们打开王宫西侧的门，小心翼翼、蹑手蹑脚地出了王宫。没人看见我们离开。

走过王宫花园，踏过层层石阶，即将完全离开王宫时，我忍不住回头看了一眼。

这座辉煌的宫楼，在月光下是如此气势恢宏，它是我们亲手设计，看着它一点一点建筑起来的。我知道，这一别将成为永恒，以后我再也见不到它了，淡淡的离愁别绪涌入我心间。

但是我知道，相比于这些，我更想回到英国，我最后深深看了它一眼，毅然转身离开。

我们到达海滩时，那只大帝螺已经好了许多。海豚们在附近的海面上转来转去，医生正在专心照看着大帝螺。波丽趁他不注意偷偷溜到另一侧海边，朝海豚们挥了挥手。海豚们都过来了。

“朋友们，我现在想请你们帮个忙。”波丽对海豚们说，“你们知道的，杜立德医生是位了不起的博物学家。他把他前半生的时间都奉献给了动物，我希望你们现在可以帮一帮他。他应该回到英国继续他的研究，这才是他真正的兴趣爱好，而不是因为责任留在这座岛上。天知道，这儿的人们没了他还是可以照样生活。所以现在的问题就是，要是大帝螺愿意把我们和我们的这些行李载回英国，医生他一定很愿意回去的，因为他一直都想去海底看看。所以，我们想拜托你们去叫海胆，让它告诉海星，能不能和大帝螺说说，看它愿不愿意让我们坐在它的壳里，把我们送回泥糖镇河口。你们听明白了吗？”

“听明白了。”海豚们说，“我们非常愿意帮你们，我们一定会尽力说服它的。我们也认为，让这个伟大的人留在这里实在太浪费了，动物们更需要他呢。”

“千万别让医生知道你们在干什么。”波丽叮嘱道，“要是他知道他就不会离开了。让大帝螺自己提出来愿意带我们走，明白吗？”

这时，杜立德医生正在检查大帝螺的尾巴，看它是否能在水里划动了。我们焦急地等在一旁，丝毫不知道海豚们的进程如何。

忽然，杜立德医生朝我们跑过来，惊讶地大叫道：“哎呀！你们猜大帝螺刚对我说了什么。”

没等我们回答，他又接着说：“它说它愿意把我们载回泥糖镇，反正它现在没事也回不了深洞，不如到处去看看。这真是千载难逢的机会啊，一路从巴西到英国，这海底世界该是多么的精彩啊！这样的旅程我敢打赌从没有人体验过，要是我没当国王就好了，可是现在我不得不眼睁睁看着机会从我手中溜走了。”

说完，他哀伤地看着海面，月亮的光辉披在他身上，看上去是如此得寂寞。

波丽从我身旁飞过，它站在医生肩膀上，像在安慰一个小孩子：“好了，医生，你已经做得够多了。你明白的，当国王这件事不可能持续一辈子的。岛上的居民没有你还是照样生活，没人会说你没对他们尽责。可是他们逼你当了国王，这是不对的。既然这样，你为什么不乘着大帝螺返回英国呢，这是你一直以来的梦想啊。更何况你还能把这里的资料带回英国，这比你在这儿待着更有价值。”

“我不能这样，我要一走他们又得回到以前了。吃生食，喝不干净的水，整日被疾病侵扰。或许以后有机会，但我现在不能离开他们。”医生悲伤地说。

“这就是你想错的地方了，医生。现在就是你离开的时候了，你现在要不离开，以后都没机会了。走吧！现在就走！今晚就走！”

“什么？连告别都没有就偷偷溜走吗？波丽妮西娅，你出的什么主意！”

“你要是去说再见，就别打算走了。”波丽嗤之以鼻，“医生，你要再回到王宫，去说什么再见，那你永远也别想走了。你只能现在，此刻，马上就走！”

医生沉默了，显然他知道波丽说得极其正确。

他沉默了好一会儿才说：“可是，我的笔记本还在那儿，我得回去拿。”

“我拿来了，医生！”我在一旁大声说，“全都在，一本都没落下。”

他又沉思了一会儿，“长健那些收藏，我也得带回去。”

“都在这儿了。”长健从暗处走了出来。

“可是路上得有吃的吧……”医生又问。

“我们带了一个礼拜的吃的，为休假准备的。”波丽说，“已经足够了。”

杜立德医生又沉默了好一会儿。

“还有我的帽子。”他焦躁地说，“我必须回王宫一趟，总不能戴着王冠回到泥糖镇吧。”

“帽子在这儿。”布穆博一边回答一边从他大衣里拿出帽子。

这回，杜立德医生总算没话可说了，可是显然他还没彻底下定决心离开。

“我的朋友啊，”长健慢慢开口道，“你已经为我们做得够多了，我知道你待在这里并不快乐。你回去吧，去实现你的梦想，去帮助更多的动物，让你渊博的知识发挥更大的作用。动身吧，太阳将要升起了，再不走，你就真的只能留在这里了，你的后半生都将只能当一个国王。”

天边渐渐泛起鱼肚白，我看见医生犹豫的脸上渐渐染上坚毅的气息，他终于下定了决心。我看见他把王冠摘下放在沙滩上，戴上他那顶旧帽子。当他开口说话时，他几乎是哽咽地发出声音。

“他们很快就会发现它的，就会明白，我走了。不知道他们能否理解我离开的原因……希望他们能够理解……也能原谅我。”

“你的决定是正确的，朋友。”长健握住医生的手，“再没人比我更难过你的离开，但是我祝你永远平安，回家顺利！再见了！”

医生眼里含着泪水，但他一句话也没说，走向沙滩，走向了那只大帝螺。

大帝螺弓起背部，在它的肩膀和背上的大壳之间，缓缓张开一条缝隙，医生从那里爬进去，我们随后也把行李扔进去。

我们全部人一到缝隙里，那条口子又慢慢合上。

大帝螺转向大海缓缓前行，向着大海深处潜进去。

海水仿佛在我们头顶泛起波浪，在海水即将漫过大帝螺躯体的那一瞬，我们看见太阳从海的东边升起，万缕霞光照在海面上，这是最美丽的朝霞，这是初升的太阳，这是希望的光芒。

接下来，我们终于开始了回家之旅。

大帝螺宽阔的背部是如此舒服，除了有点湿漉漉和黏糊糊。

但是习惯以后你会发现，这真的是个不错的地方，它的 壳是透明的，我们可以清楚地看到外面的景色。海底